ESTE LIBRO ES PROPIEDAD DE

Aprendamos del Gran Maestro

Editores
D.R. © 2003
LA TORRE DEL VIGÍA, A.R.
Heraldo 104, Col. Clavería
02080 México, D.F.

Publicado en español: 2003
Primera edición en México: 2003
Decimoquinta reimpresión: 2010

Esta publicación se distribuye como parte de una obra mundial
de educación bíblica que se sostiene con donativos. Prohibida su venta.

A menos que se indique lo contrario,
las citas de la Biblia son de la versión en lenguaje moderno
Traducción del Nuevo Mundo de las Santas Escrituras (con referencias)

Learn From the Great Teacher
Spanish (*lr*-S)

Printed in Mexico   ISBN 968-5004-44-7   Impreso en México

Esta obra se imprimió en enero de 2010, en la imprenta de La Torre
del Vigía, A.R., Av. Jardín 10, Fracc. El Tejocote, 56239 Texcoco, Edo. de Méx.
La reimpresión consta de 1.075.000 ejemplares.

APRENDAMOS DEL GRAN MAESTRO

· ¿QUÉ NECESITAN LOS HIJOS DE SUS PADRES? ·

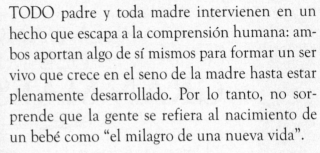

TODO padre y toda madre intervienen en un hecho que escapa a la comprensión humana: ambos aportan algo de sí mismos para formar un ser vivo que crece en el seno de la madre hasta estar plenamente desarrollado. Por lo tanto, no sorprende que la gente se refiera al nacimiento de un bebé como "el milagro de una nueva vida".

Por supuesto, engendrar hijos es tan solo el comienzo de la responsabilidad de los progenitores. Al principio, los bebés dependen de los adultos para casi todo, pero a medida que crecen requieren más que atención física: necesitan ayuda para desarrollarse mental, emocional, moral y espiritualmente.

Los hijos precisan en especial del amor de los padres para lograr un sano desarrollo. Aunque expresarles amor con palabras es importante, estas deben ir respaldadas por acciones; es decir: los niños necesitan que sus padres pongan un buen ejemplo. Asimismo, los hijos necesitan principios por los cuales guiarse, y los necesitan desde su más tierna infancia. Cuando la ayuda llega demasiado tarde, pueden producirse, y de hecho se producen, situaciones lamentables.

Los mejores principios que existen son los que se hallan en la Biblia. Las ventajas de la instrucción bíblica son excepcionales, pues mediante ella, los niños llegan a darse cuenta de que lo que se les está enseñando no son las palabras de un ser humano, sino las de su Creador, su Padre celestial, lo cual confiere al consejo una fuerza incomparable.

La Biblia anima a los padres a esforzarse por inculcar buenos principios en la mente de sus hijos. Sin embargo, a medida que estos van creciendo, a los padres les suele resultar difícil hablar con ellos de las cuestiones de mayor importancia. Este libro, APRENDAMOS DEL GRAN MAESTRO, se ha concebido para evitar dicha situación. Les proporcionará a usted y a sus hijos información espiritual que puedan leer juntos. Sobre todo, fomentará la conversación entre los niños y quienes lean el libro con ellos.

Observará que el libro pide que los niños den respuestas. En sus páginas hay una gran cantidad de preguntas colocadas de manera oportuna. A continuación de cada una encontrará puntos suspensivos (...), que sirven como recordatorio de que se debe pausar y pedir al niño su opinión. A los niños les gusta sentirse parte activa de las situaciones; de lo contrario, pierden el interés rápidamente.

No obstante, el aspecto más importante de las preguntas es que le permitirán descubrir qué piensa su hijo. Es probable que las respuestas que dé no sean las correctas. Pero la información que sigue a cada pregunta está ideada para ayudar al niño a desarrollar patrones de pensamiento sanos.

Una característica especial del libro son sus más de doscientas treinta ilustraciones. Al pie de la mayoría de ellas hay preguntas que animan al niño a expresarse, basándose en lo que está viendo y en lo que acaba de leer. Por lo tanto, examine las láminas con su hijo. Son un excelente instrumento educativo que sirven para recalcar las lecciones que se enseñan.

Cuando su pequeño aprenda a leer, anímelo a que le lea el libro a usted y también a que lo lea por sí mismo, pues cuanto más lo haga, más se le grabarán en la mente y el corazón sus buenos consejos. No obstante, para fortalecer los vínculos de cariño y respeto entre su hijo y usted, es preciso que lean el libro juntos y de forma regular.

En la actualidad, los niños se ven expuestos constantemente, y a un grado que hubiera resultado inimaginable no hace tantos años, a información relacionada con la inmoralidad sexual, el espiritismo y otras prácticas degradantes. Por eso necesitan protección, que este libro ayuda a suministrarles de forma digna a la vez que franca. Pero sobre todo, los niños precisan que se les dirija a la Fuente de toda sabiduría, nuestro Padre celestial, Jehová Dios. Eso fue lo que Jesús, el Gran Maestro, hizo siempre. Es nuestro deseo sincero que este libro contribuya a que usted y su familia vivan de una forma que agrade a Jehová y obtengan su bendición eterna.

· ÍNDICE ·

CAPÍTULO 1

POR QUÉ FUE JESÚS UN GRAN MAESTRO

HACE más de dos mil años, nació un niño muy especial que al crecer se convirtió en el hombre más grande de todos los tiempos. En aquella época no había aviones ni automóviles; tampoco existían las computadoras, la televisión ni Internet.

Al niño lo llamaron Jesús, y llegó a ser el hombre más sabio que haya vivido en la Tierra. También fue el mejor maestro, pues explicaba las cosas difíciles de modo que fuera fácil entenderlas.

Jesús enseñaba a las personas en todo lugar: a la orilla del mar y en las barcas, en las casas y cuando andaba por los caminos. Como entonces no se conocían los automóviles ni los trenes ni los autobuses, Jesús viajaba a pie de un lugar a otro enseñando a la gente.

Podemos aprender muchas cosas de otras personas, pero las cosas más importantes las aprendemos de Jesús, el Gran Maestro. Cuando leemos sus palabras en la Biblia, es como si él nos hablara directamente.

¿Por qué era Jesús tan buen maestro? Una de las razones es que él también tuvo alguien que le enseñara. Además, Jesús sabía que era muy importante escuchar. Pero ¿a quién escuchaba? ¿Quién le enseñó?... Fue su Padre, y el Padre de Jesús es Dios.

Antes de venir a la Tierra, Jesús vivía en el cielo con Dios. Por eso fue tan diferente a los demás hombres, porque fue el único que vivió en el cielo antes de nacer en la Tierra. En el cielo, Jesús había sido un buen hijo que escuchaba a su Padre. Por lo tanto, pudo enseñar a los seres humanos lo que había aprendido de Dios. Si tú escuchas a tus padres, estarás imitando el ejemplo de Jesús.

Jesús era un gran maestro por otra razón: porque amaba a las personas y quería

¿Por qué les gustaba a los niños estar con Jesús?

ayudarlas a aprender de Dios. Jesús amaba no solo a los adultos, sino también a los niños. Estos disfrutaban de estar con él porque hablaba con ellos y los escuchaba.

Cierto día, algunos padres llevaron sus hijos a Jesús. Pero los amigos del Gran Maestro pensaron que él estaba demasiado ocupado para hablar con niños, y les dijeron que se marcharan. ¿Qué hizo Jesús?... Ordenó a sus amigos: "Dejen que los niñitos vengan a mí; no traten de detenerlos". En realidad, Jesús quería que los niños se acercaran a él. Aunque era un hombre muy sabio e importante, dedicó tiempo a enseñarles (Marcos 10: 13, 14).

¿Sabes por qué enseñaba Jesús a los niños y los escuchaba? Entre otras cosas, porque quería hacerlos felices, y por eso les hablaba de Dios, su Padre celestial. ¿Cómo puedes tú hacer felices a otras personas?... Contándoles lo que has aprendido sobre Dios.

Una vez, Jesús utilizó a un niño para enseñarles una importante lección a Sus amigos. Puso al niñito en medio de sus discípulos, o seguidores, y les indicó que aunque eran adultos, debían cambiar de actitud y llegar a ser como aquel niño.

¿Qué quiso decir Jesús con esto? ¿Sabes cómo podría un adulto, o incluso un jovencito, ser como un niño?... Bueno, un niño no sabe tanto como una persona mayor y quiere aprender. Así pues, lo que Jesús quiso decir fue que sus discípulos debían ser humildes, como los niños. Lo cierto es que todos podemos aprender mucho de otras personas. También deberíamos comprender que las enseñanzas de Jesús son más importantes que nuestras propias ideas (Mateo 18:1-5).

Otra razón por la que Jesús era tan buen maestro es que hacía que las cosas resultaran interesantes para los demás, pues las explicaba de manera

¿Qué lección pueden aprender de un niño tanto los jovencitos como los adultos?

12

¿Qué lección estaba enseñando Jesús cuando habló de los pájaros y las flores?

sencilla y clara. Hablaba de los pájaros, las flores y de otras cosas conocidas para ayudar a la gente a saber más de Dios.

En cierta ocasión, mientras Jesús estaba en la ladera de una montaña, vinieron muchas personas a verlo. Como puedes observar en la ilustración, Jesús se sentó y pronunció un discurso, o sermón. Aquel discurso se conoce como el Sermón del Monte. Dijo: 'Fíjense en los pájaros del cielo. No plantan semillas. Tampoco guardan alimento en graneros. Pero el Dios del cielo los alimenta. ¿No valen ustedes más que ellos?'.

Además añadió: 'Aprendan una lección de los lirios del campo. Crecen sin esfuerzo, y fíjense en lo lindos que son. Ni siquiera el rey Salomón tuvo ropas tan hermosas. Entonces, si Dios cuida de las flores del campo, ¿no cuidará también de ustedes?' (Mateo 6:25-33).

¿Comprendes la lección que Jesús estaba enseñando?... Él no quería que viviéramos preocupados por lo que vamos a comer o lo que vamos a ponernos. Dios sabe que necesitamos estas cosas. Jesús no quiso decir que no debemos trabajar para conseguir el alimento y la ropa, sino que debemos poner a Dios en primer lugar. Si lo hacemos, Dios se encargará de que tengamos lo necesario. ¿Crees que será así?...

Cuando Jesús terminó su discurso, ¿qué pensaron los que estaban allí?... La Biblia dice que se quedaron asombrados por su

"Este es mi Hijo, [...] escúchenle"

forma de enseñar. Les encantaba escucharlo, y sus consejos ayudaban a la gente a hacer lo bueno (Mateo 7:28).

Por lo tanto, es muy importante que aprendamos de Jesús. ¿Sabes cómo?... Bueno, sus palabras están escritas en un libro. ¿Qué libro es ese?... La Santa Biblia. Podemos escuchar a Jesús si prestamos atención a lo que leemos en la Biblia. De hecho, hay una emocionante historia bíblica que explica cómo Dios mismo pidió que escucháramos a Jesús. Ocurrió así.

Un día, Jesús subió a una montaña con tres de sus amigos: Pedro, Santiago y Juan. En otros capítulos aprenderemos más sobre estos hombres, ya que los tres eran amigos íntimos de Jesús. Pero como puedes ver en la lámina, en aquella ocasión especial la cara de Jesús comenzó a brillar muchísimo, y sus ropas se hicieron tan brillantes como la luz.

Entonces, Jesús y sus amigos oyeron una voz desde el cielo que decía: "Este es mi Hijo, el amado, a quien he aprobado; escúchenle" (Mateo 17:1-5). ¿Sabes de quién era aquella voz?... Era la voz de Dios. Sí, era Dios quien decía que debían escuchar a su Hijo.

¿Qué haremos nosotros? ¿Obedeceremos a Dios y escucharemos a su Hijo, el Gran Maestro?... Eso es lo que todos debemos hacer. ¿Recuerdas cómo hacerlo?...

Sí, una forma de escuchar al Hijo de Dios es leer los relatos bíblicos sobre su vida. El Gran Maestro tiene muchas cosas maravillosas que contarnos, y estas se encuentran en la Biblia. Disfrutarás aprendiéndolas, y también te sentirás feliz si se las cuentas a tus amigos.

Encontraremos más información sobre los beneficios de escuchar a Jesús si abrimos la Biblia y leemos Juan 3:16; 8:28-30, y Hechos 4:12.

CAPÍTULO 2

CARTA DE UN DIOS AMOROSO

DIME, ¿cuál es tu libro favorito?... Algunos niños prefieren los que hablan de animales; a otros les gustan los que tienen muchas láminas. Leer estos libros puede ser divertido, ¿no es verdad?

Sin embargo, los mejores libros son los que nos enseñan la verdad sobre Dios. Entre ellos hay uno que es el más valioso de todos. ¿Sabes a qué libro me refiero?... A la Biblia.

¿Por qué es tan importante la Biblia?... Porque vino de Dios. Nos habla de él y de las cosas buenas que hará por nosotros. Además, nos enseña lo que debemos hacer para agradarle. Es como una carta que nos manda Dios.

Es cierto que Dios pudo haber escrito toda la Biblia en el cielo y dársela después al hombre, pero no lo hizo así. Aunque las ideas eran de Dios, él utilizó a sus siervos en la Tierra para que escribieran la mayor parte de la Biblia.

¿Cómo lo hizo?... Lo entenderás mejor si piensas en esto: las voces que oímos en la radio son de gente que está lejos. En la televisión hasta podemos ver y escuchar a personas de otros países.

Los hombres han logrado incluso llegar a la Luna en naves espaciales, y también enviar mensajes a la Tierra desde allí. ¿Lo sabías?... Si los seres humanos son capaces de hacerlo, ¿no podrá Dios enviar mensajes desde el cielo?... Claro que sí, y lo hizo mucho antes de que existieran la radio o la televisión.

Hubo un hombre llamado Moisés que realmente oyó hablar a Dios. Aunque no pudo verlo, sí escuchó Su voz. De hecho, aquel día Dios hizo que temblara toda una montaña, en medio de truenos y relámpagos. Había millones de personas presentes. Ellos sabían que Dios había hablado, pero estaban muy asustados. Por eso le pidieron a Moisés: 'Que no nos hable Dios, por temor de que vayamos a morir'. Después, Moisés dejó escrito en la Biblia lo que Dios le dijo (Éxodo 20:18-21).

Moisés escribió los primeros cinco libros de la Biblia, pero él no fue el único escritor. Dios utilizó a unos cuarenta hombres para que la escribieran. Aquellos hombres vivieron hace

¿Cómo sabemos que Dios puede hablarnos desde lejos?

muchísimo tiempo, y pasaron muchos años, en realidad casi mil seiscientos, hasta que la completaron. Algunos de los escritores ni siquiera se conocieron. Sin embargo, todos sus escritos armonizan perfectamente. ¡Qué increíble!

Algunos de los hombres a quienes Dios utilizó para escribir la Biblia fueron muy conocidos. Por ejemplo, aunque Moisés había sido pastor, se convirtió en el líder de la nación de Israel. Salomón, además de rey, fue el hombre más rico y sabio del mundo. Pero hubo otros que no fueron tan destacados. Uno de ellos fue Amós, que se dedicaba a cultivar higos.

También hubo un médico. ¿Sabes su nombre?... Lucas. Otro escritor se llamaba Mateo y había sido recaudador de impuestos. Hubo incluso un especialista en la ley religiosa judía. Él fue quien escribió más libros de la Biblia. ¿Sabes cómo se llamaba?... Pablo. También escribieron partes de ella Pedro y Juan, que eran pescadores antes de hacerse discípulos de Jesús.

Muchos de los escritores bíblicos anunciaron cosas que Dios iba a hacer en el futuro. ¿Cómo supieron que sucederían antes de que ocurriesen?... Dios se las reveló, les dijo lo que ocurriría.

En la época en que Jesús, el Gran Maestro, vivió en la Tierra, ya se había escrito gran parte de la Biblia. Recuerda que el Gran Maestro había estado en el cielo y sabía lo que Dios había hecho. ¿Creía él que la Biblia venía de Dios?... Sí, lo creía.

Cuando Jesús hablaba con las personas sobre las obras de Dios, leía de la Biblia, y a veces repetía pasajes de memoria. También nos reveló más información acerca de Dios. Jesús indicó: "Las mismas cosas que oí de parte de él las hablo en el mundo" (Juan 8:26). Jesús había oído decir muchas cosas a Dios porque

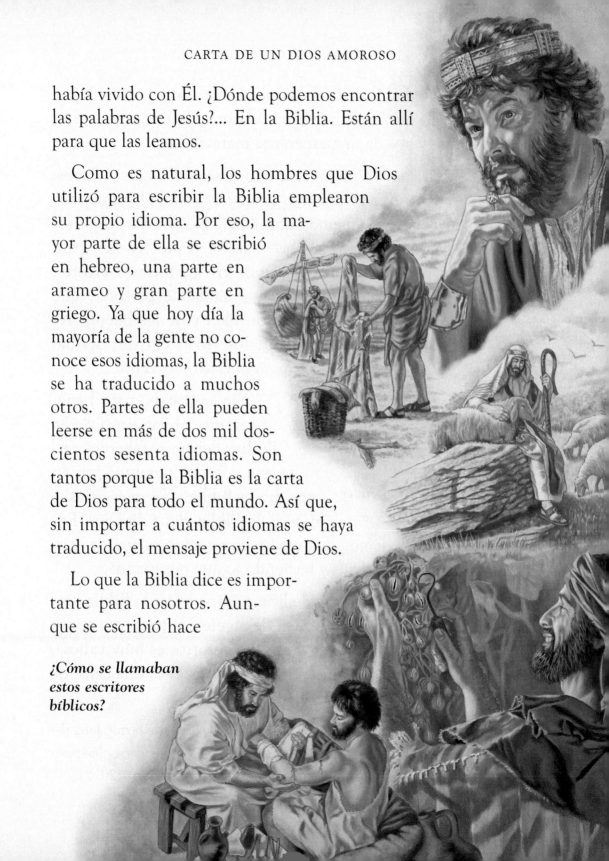

había vivido con Él. ¿Dónde podemos encontrar las palabras de Jesús?... En la Biblia. Están allí para que las leamos.

Como es natural, los hombres que Dios utilizó para escribir la Biblia emplearon su propio idioma. Por eso, la mayor parte de ella se escribió en hebreo, una parte en arameo y gran parte en griego. Ya que hoy día la mayoría de la gente no conoce esos idiomas, la Biblia se ha traducido a muchos otros. Partes de ella pueden leerse en más de dos mil doscientos sesenta idiomas. Son tantos porque la Biblia es la carta de Dios para todo el mundo. Así que, sin importar a cuántos idiomas se haya traducido, el mensaje proviene de Dios.

Lo que la Biblia dice es importante para nosotros. Aunque se escribió hace

¿Cómo se llamaban estos escritores bíblicos?

mucho tiempo, habla de hechos que ocurren en la actualidad, y también de lo que Dios hará en el futuro. Tal información es emocionante y nos da una esperanza maravillosa.

La Biblia también explica cómo desea Dios que vivamos. Nos enseña lo que es bueno y lo que es malo, algo que tanto tú como yo tenemos que saber. Nos habla de personas que hicieron cosas malas y cómo les fue, para que no caigamos en los mismos errores. También nos habla de personas que obraron bien y de los buenos resultados. Todo ello se escribió para nuestro provecho.

Sin embargo, para beneficiarnos al máximo de la Biblia, debemos saber la respuesta a esta pregunta: ¿quién nos dio la Biblia? ¿Tú qué dirías?...

¿Qué cosas puedes aprender leyendo la Biblia?

Sí, toda la Biblia viene de Dios. Entonces, ¿cómo podemos demostrar que somos sabios de verdad?... Escuchando a Dios y haciendo lo que nos manda.

Por lo tanto, tenemos que dedicar tiempo a leer la Biblia juntos. Cuando recibimos una carta de alguien a quien queremos mucho, la leemos una y otra vez. Para nosotros es muy valiosa. Deberíamos sentir lo mismo por la Biblia, pues es una carta de la persona que más nos quiere, el Dios amoroso.

Sería bueno que dedicáramos unos minutos más a leer estos textos, pues demuestran que la Biblia es realmente la Palabra de Dios y que se escribió para nuestro beneficio: Romanos 15:4; 2 Timoteo 3:16, 17, y 2 Pedro 1:20, 21.

CAPÍTULO 3

EL CREADOR
DE TODAS LAS COSAS

YO SÉ algo que es maravilloso. ¿Quieres oírlo?... Mírate la mano. Dobla los dedos. Ahora agarra algo. Tu mano puede hacer muchas cosas, y hacerlas bien. ¿Sabes quién hizo las manos?...

Sí, fue el mismo que hizo la boca, la nariz y los ojos. Fue Dios, el padre del Gran Maestro. ¿Te alegras de que Dios nos diera ojos?... Gracias a ellos podemos ver muchas cosas: las flores, la hierba verde y el cielo azul. También nos sirven para observar a los pajaritos cuando comen, como en la ilustración. ¿No te parece una maravilla que podamos ver tantas cosas?...

¿Quién creó a todos los seres vivos?

Pero ¿quién las hizo? ¿Algún hombre? No. Los hombres pueden construir una casa, pero no pueden hacer hierba que crezca, ni tampoco un pajarito, una flor u otro ser vivo. ¿Lo sabías?...

Dios es el Creador de todo: él hizo los cielos y la Tierra, así como también a los seres humanos. Jesús, el Gran Maestro, enseñó que Dios creó al primer hombre y la primera mujer (Mateo 19:4-6).

21

Alguien construyó esta casa. ¿Quién hizo, entonces, las flores, los árboles y los animales?

¿Cómo sabía Jesús esto? ¿Vio a Dios crearlos?... Sí. Jesús estuvo presente cuando Dios hizo al hombre y la mujer, pues él mismo fue la primera persona que Dios creó. Jesús era un ángel que vivía en el cielo con su Padre.

La Biblia cita estas palabras de Dios: "Hagamos al hombre" (Génesis 1:26). ¿Sabes con quién estaba hablando Dios?... Hablaba con su Hijo, que más tarde vendría a la Tierra y sería Jesús.

¿No es emocionante? Piénsalo. Cuando escuchamos a Jesús, estamos aprendiendo de la persona que estaba con Dios cuando Dios creó la Tierra y todo lo demás. Jesús aprendió mucho de trabajar con su Padre en el cielo. ¡No es de extrañar que sea el Gran Maestro!

¿Piensas que Dios se sentía triste por estar solo antes de crear a su Hijo?... No. Entonces, ¿por qué creó a otros seres?... Porque es un Dios de amor. Él quería que otros vivieran y disfrutaran de la vida. Debemos agradecerle a Dios que nos diera la vida.

Todas las creaciones de Dios demuestran su amor. Por ejemplo, el Sol nos da luz y nos mantiene calientes. Si no existiera, todo estaría frío y no habría vida en la Tierra. ¿No te alegras de que Dios creara el Sol?...

Dios también hizo la lluvia. A veces no te gusta que llueva porque entonces no puedes salir a jugar. Pero la lluvia facilita el crecimiento de las flores. Por eso, cuando vemos flores hermosas, ¿a quién debemos darle las gracias?... A Dios. ¿Y cuando comemos frutas y verduras sabrosas?... Debemos darle las gracias a Dios porque el Sol y la lluvia hacen crecer las plantas.

Imagina que alguien te pregunta: "¿Creó Dios también al hombre y los animales?". ¿Qué dirías?... Es correcto contestar: "Sí, Dios hizo al hombre y los animales". Pero ¿qué pasa si la persona no lo cree, y asegura que el hombre vino de los animales? Bueno, eso no es lo que la Biblia enseña. Esta dice que Dios creó a todos los seres vivos (Génesis 1:26-31).

¿Qué le dirías a alguien que no cree en Dios?... Podrías señalar una casa y preguntarle: "¿Quién construyó esa casa?". Todo el mundo sabe que la tuvo que construir alguien. Por supuesto que no se construyó sola (Hebreos 3:4).

Entonces podrías llevarlo a un jardín, mostrarle una flor y preguntar: "¿Quién hizo esta flor?". No fue ningún hombre. Pero al igual que la casa no se construyó sola, esta flor tampoco se hizo a sí misma. Fue Dios quien la hizo.

Podrías pedir a la persona que se detenga a escuchar el canto de un pájaro, y preguntarle: "¿Quién hizo los pájaros y les enseñó a cantar?". Fue Dios quien hizo los cielos, la Tierra y todos los seres vivos. Él es quien da la vida.

Quizás alguien te diga que solo cree en lo que ve, que si no ve algo, no cree que exista. De hecho, hay personas que no creen en Dios porque no pueden verlo.

Es cierto que no podemos ver a Dios. La Biblia dice: 'Nadie puede ver a Dios'. Ningún hombre, mujer o niño puede verlo. Por eso, nadie debe intentar hacer un cuadro o una imagen de Él. Dios mismo prohíbe hacerlo, de modo que a él no le agradaría que tuviéramos imágenes de ese tipo en nuestra casa (Éxodo 20:4, 5; 33:20; Juan 1:18).

Si no podemos ver a Dios, ¿cómo sabemos que en realidad existe? Piensa en esto: ¿puedes ver el viento?... No, nadie puede verlo. Pero sí puedes ver las cosas que hace; por ejemplo, cómo mueve las hojas cuando sopla a través de las ramas de un árbol. Por ese motivo sabes que el viento existe.

También puedes ver las cosas que Dios ha hecho. Cuando observas una flor o un pájaro, estás viendo algo creado por Dios. Eso te hace creer que Dios sí existe.

Quizás alguien te pregunte: "¿Quién hizo el Sol y la Tierra?". La Biblia explica: "Dios creó los cielos y la tierra" (Génesis 1:1). Sí, fue Dios quien hizo todas estas cosas maravillosas. ¿Qué opinas?...

¿No es maravilloso estar vivo? Podemos escuchar el bello canto de los pájaros, ver las flores y las demás creaciones de Dios, y también comer los alimentos que nos ha provisto.

Deberíamos darle las gracias a Dios por todo ello y, en especial, por habernos dado la vida. Si nos sentimos realmente agradecidos, haremos una cosa. ¿Sabes cuál?... Escuchar a Dios y hacer lo que nos manda en la Biblia. De esa forma podemos demostrar que amamos al Creador de todas las cosas.

Deberíamos mostrar gratitud a Dios por todo lo que ha hecho. ¿De qué forma? Leamos lo que está escrito en Salmo 139:14; Juan 4:23, 24; 1 Juan 5:21, y Revelación (Apocalipsis) 4:11.

***¿Cómo sabes
que existe el viento?***

CAPÍTULO 4

DIOS TIENE NOMBRE

CUANDO te presentan a alguien, ¿qué es lo primero que te dicen de esa persona?... Cómo se llama, por supuesto. Todos tenemos nombre. Al primer hombre, Dios lo llamó Adán, y el nombre de su esposa fue Eva.

Sin embargo, no solo las personas tienen nombre. Piensa en cosas que también lo tienen. Cuando alguien te regala una muñeca o un animalito, ¿no es verdad que le pones nombre?... Claro, porque tener nombre es muy importante.

Fíjate en la gran cantidad de estrellas que vemos en el cielo de noche. ¿Crees que tienen nombre?... Sí, Dios se lo puso a cada una. La Biblia nos dice que él "está contando el número de las estrellas; a todas las llama por sus nombres" (Salmo 147:4).

¿Quién dirías tú que es la persona más importante del universo?... Sí, es Dios. ¿Y crees que tiene nombre?... Jesús dijo que sí. En cierta ocasión, Jesús oró a Dios diciendo: 'Yo les he dado a conocer tu nombre a mis seguidores' (Juan 17:26). ¿Sabes cómo se llama Dios?... Él mismo lo reveló: "Yo soy Jehová. Ese es mi nombre". De modo que el nombre de Dios es JEHOVÁ (Isaías 42:8).

¿Cómo te sientes cuando otros recuerdan tu nombre?... Te alegras, ¿no es cierto?... Jehová también quiere que la gente sepa Su nombre, y por eso deberíamos usarlo al hablar de él. El Gran Maestro utilizaba el nombre de Dios, Jehová, cuando enseñaba a la gente. En una ocasión dijo: "Tienes que amar a

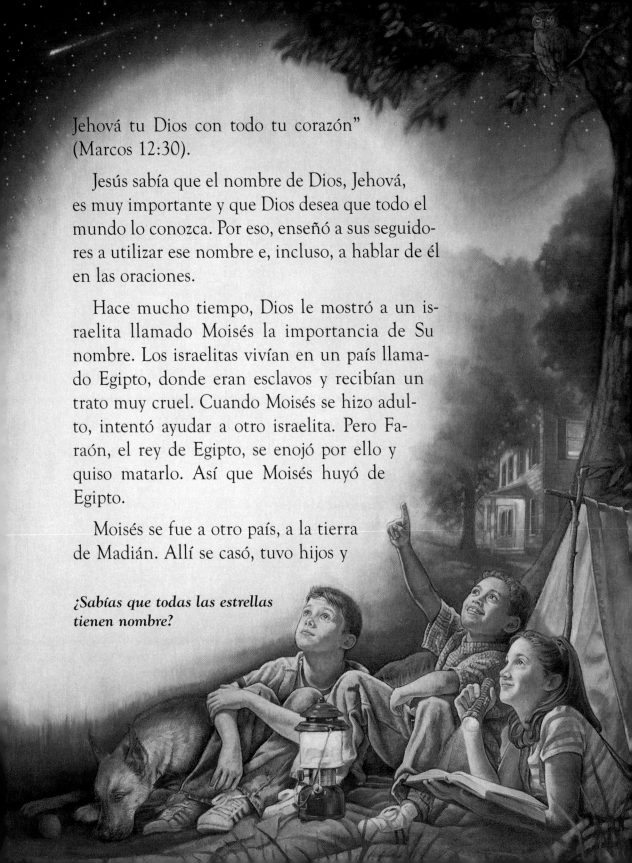

Jehová tu Dios con todo tu corazón"
(Marcos 12:30).

Jesús sabía que el nombre de Dios, Jehová,
es muy importante y que Dios desea que todo el
mundo lo conozca. Por eso, enseñó a sus seguidores a utilizar ese nombre e, incluso, a hablar de él
en las oraciones.

Hace mucho tiempo, Dios le mostró a un israelita llamado Moisés la importancia de Su
nombre. Los israelitas vivían en un país llamado Egipto, donde eran esclavos y recibían un
trato muy cruel. Cuando Moisés se hizo adulto, intentó ayudar a otro israelita. Pero Faraón, el rey de Egipto, se enojó por ello y
quiso matarlo. Así que Moisés huyó de
Egipto.

Moisés se fue a otro país, a la tierra
de Madián. Allí se casó, tuvo hijos y

*¿Sabías que todas las estrellas
tienen nombre?*

trabajó como pastor. Un día, mientras cuidaba sus ovejas cerca de una montaña, vio algo sorprendente: una zarza que ardía, pero no se quemaba. Entonces se acercó para verla mejor.

¿Sabes lo que ocurrió?... Moisés escuchó una voz que lo llamaba de en medio de aquella zarza ardiente: "¡Moisés!, ¡Moisés!". ¿De quién era aquella voz?... ¡Era la voz de Dios! Él le encargó una labor muy importante diciéndole: 'Ven y déjame enviarte a Faraón, el rey de Egipto, y saca de allí a mi pueblo, los hijos de Israel'. Dios prometió ayudar a Moisés en su misión.

Pero Moisés contestó: 'Si ahora voy a los hijos de Israel que están en Egipto y les digo que Dios me ha enviado, ¿qué haré si me preguntan cuál es su nombre? ¿Qué les diré?'. Dios le mandó que respondiera a los israelitas: 'Jehová me ha enviado a ustedes. Jehová es mi nombre para siempre' (Éxodo 3:1-15). Esas palabras mostraban que Dios nunca cambiaría de nombre. Seguiría

¿Qué mensaje importante recibió Moisés al lado de la zarza ardiente?

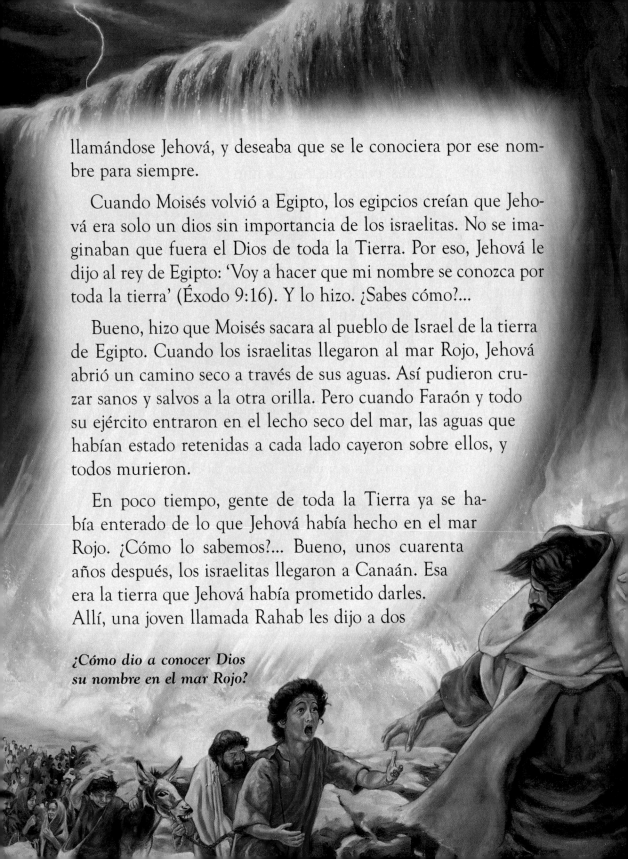

llamándose Jehová, y deseaba que se le conociera por ese nombre para siempre.

Cuando Moisés volvió a Egipto, los egipcios creían que Jehová era solo un dios sin importancia de los israelitas. No se imaginaban que fuera el Dios de toda la Tierra. Por eso, Jehová le dijo al rey de Egipto: 'Voy a hacer que mi nombre se conozca por toda la tierra' (Éxodo 9:16). Y lo hizo. ¿Sabes cómo?...

Bueno, hizo que Moisés sacara al pueblo de Israel de la tierra de Egipto. Cuando los israelitas llegaron al mar Rojo, Jehová abrió un camino seco a través de sus aguas. Así pudieron cruzar sanos y salvos a la otra orilla. Pero cuando Faraón y todo su ejército entraron en el lecho seco del mar, las aguas que habían estado retenidas a cada lado cayeron sobre ellos, y todos murieron.

En poco tiempo, gente de toda la Tierra ya se había enterado de lo que Jehová había hecho en el mar Rojo. ¿Cómo lo sabemos?... Bueno, unos cuarenta años después, los israelitas llegaron a Canaán. Esa era la tierra que Jehová había prometido darles. Allí, una joven llamada Rahab les dijo a dos

¿Cómo dio a conocer Dios su nombre en el mar Rojo?

hombres israelitas: "Hemos oído cómo Jehová secó las aguas del mar Rojo de delante de ustedes cuando salieron de Egipto" (Josué 2:10).

Hoy día, muchas personas son como aquellos egipcios. No creen que Jehová sea el Dios de toda la Tierra. Por eso, Jehová quiere que su pueblo hable de él a otras personas. Jesús lo hizo. Cuando se acercaba el fin de su vida en la Tierra, le dijo a Jehová en oración: "Yo les he dado a conocer tu nombre" (Juan 17:26).

Jesús dio a conocer el nombre de Dios.
¿Puedes encontrar el nombre de Dios en la Biblia?

¿Quieres ser como Jesús? Entonces diles a otros que el nombre de Dios es Jehová. Quizás descubras que mucha gente no lo sabe. Podrías mostrarles en la Biblia el Salmo 83:18. Vamos a buscarlo juntos. Allí dice: "Para que la gente sepa que tú, cuyo nombre es Jehová, tú solo eres el Altísimo sobre toda la tierra".

¿Qué aprendemos de estas palabras?... Que Jehová es el nombre más importante que existe, pues es el nombre del Dios todopoderoso, el Padre de Jesús y el Creador de todas las cosas. Y recuerda, Jesús dijo que deberíamos amar a Jehová Dios con todo nuestro corazón. ¿Lo amas tú?...

¿Cómo podemos demostrar que lo amamos?... Una forma de hacerlo es conocer a Jehová y ser su amigo. Otra es enseñar su nombre a las demás personas. Podemos mostrárselo en la Biblia misma. También podemos hablarles de las maravillas que Dios ha hecho. Jehová se sentirá muy feliz por ello, pues quiere que la gente lo conozca. ¿Verdad que podemos hacerlo?...

No todo el mundo va a prestar atención cuando hablemos de Jehová. Cuando Jesús, el Gran Maestro, habló de Él, hubo muchas personas que ni siquiera escucharon. Pero Jesús no dejó de hablar de Jehová.

Por eso, seamos como Jesús. Sigamos hablando de Jehová. Si lo hacemos, Jehová Dios se complacerá en nosotros porque mostramos amor por su nombre.

Vamos a leer juntos algunos textos bíblicos que muestran que el nombre de Dios es muy importante: Isaías 12:4, 5; Mateo 6:9; Juan 17:6, y Romanos 10:13.

CAPÍTULO 5

"ESTE ES MI HIJO"

CUANDO los niños se portan bien, alegran a las personas que los cuidan. Si un niño o una niña hace algo bueno, su padre dice a los demás con orgullo: "Este es mi hijo" o "Esta es mi hija".

Jesús siempre hace lo que agrada a su Padre, y por eso su Padre se siente orgulloso de él. ¿Recuerdas qué hizo el Padre de Jesús en cierta ocasión en que este se hallaba con tres de sus discípulos?... Dios habló desde el cielo y dijo: "Este es mi Hijo, el amado, a quien he aprobado" (Mateo 17:5).

A Jesús le encanta hacer las cosas que complacen a su Padre. ¿Sabes por qué? Porque lo ama de verdad. Las cosas que uno hace solamente por obligación parecen difíciles. Pero las que hace con gusto resultan más fáciles.

Aun antes de venir a la Tierra, Jesús estuvo dispuesto a hacer todo lo que su Padre, Jehová Dios, le pidiera. Y lo hizo porque lo amaba. ¿Sabes lo que significa estar dispuesto a hacer algo?... Significa querer hacerlo de verdad. Aunque Jesús ocupaba una posición maravillosa en el cielo, su Padre tenía una misión especial para él. Jesús tenía que dejar el cielo y nacer en la Tierra. Estuvo dispuesto a hacerlo porque era la voluntad de Jehová, lo que Jehová quería.

Para que Jesús naciera en la Tierra, se necesitaba una madre. ¿Sabes quién fue?... Su nombre era María. Jehová envió desde el cielo al ángel Gabriel para anunciarle que iba a tener un hijo va-

¿Qué le dijo el ángel Gabriel a María?

rón y que el bebé se llamaría Jesús. ¿Y quién sería el padre?... El ángel dijo que sería Jehová Dios. Por eso a Jesús se le llamaría Hijo de Dios.

¿Qué crees que dijo María?... ¿Acaso dijo: "No quiero ser la madre de Jesús"? No, ella estuvo dispuesta a hacer la voluntad de Dios. Pero ¿cómo sería posible que el Hijo de Dios naciera en la Tierra si vivía en el cielo? ¿Por qué fue diferente el nacimiento de Jesús al de cualquier otro niño? ¿Lo sabes?...

Pues bien, Dios creó a nuestros primeros padres, Adán y Eva, con la capacidad de unirse de una forma maravillosa y, así, dar vida a un bebé que iría creciendo en el vientre de la madre. La gente dice que eso es un milagro, y de seguro tú estás de acuerdo.

Sin embargo, Dios hizo un milagro más maravilloso aún. Tomó la vida de su Hijo que estaba en el cielo y la puso en el vientre de María. Dios nunca había hecho algo parecido, y nunca lo ha vuelto a hacer. Por este milagro, Jesús se desarrolló en el vientre de María como cualquier otro bebé. Después, María se casó con José.

Cuando llegó el momento de que Jesús naciera, María y José se hallaban de visita en la ciudad de Belén. Allí había tanta gente que no encontraron alojamiento y tuvieron que quedarse en un establo. María dio a luz y, como puedes ver en la lámina, puso a Jesús en un pesebre. Un pesebre es un lugar donde se les echa la comida a las vacas y otros animales.

¿Por qué acostaron a Jesús en un pesebre?

La noche en que Jesús nació sucedieron cosas emocionantes. Un ángel se apareció a unos pastores cerca de Belén y les dijo que Jesús era alguien muy importante. El ángel anunció: '¡Miren! Les estoy dando buenas noticias que les harán felices. Hoy nació el que salvará al pueblo' (Lucas 2:10, 11).

El ángel dijo a los pastores que encontrarían a Jesús en Belén, acostado en un pesebre. De pronto, otros ángeles del cielo empezaron a alabar a Dios junto con el primer ángel, cantando:

¿Qué buenas noticias anunció uno de estos ángeles a los pastores?

'Gloria a Dios, y sobre la tierra paz entre los hombres de buena voluntad' (Lucas 2: 12-14).

Cuando los ángeles desaparecieron, los pastores fueron a Belén y encontraron a Jesús. Allí contaron a José y María la buena noticia que habían escuchado. ¿Te puedes imaginar lo feliz que se sintió María por haber estado dispuesta a ser la madre de Jesús?

Después, José y María llevaron a Jesús a la ciudad de Nazaret, y allí se crió. Cuando se convirtió en adulto, comenzó su gran labor de enseñanza. Esta era parte de la misión que Jehová Dios quería que realizara en la

Tierra. Jesús estuvo dispuesto a hacerlo porque amaba muchísimo a su Padre celestial.

Antes de que Jesús iniciara su labor de Gran Maestro, fue bautizado por Juan el Bautista en el río Jordán. Entonces ocurrió algo asombroso. Cuando Jesús salió del agua, Jehová habló desde el cielo y dijo: "Este es mi Hijo, el amado, a quien he aprobado" (Mateo 3:17). ¿Verdad que te sientes bien cuando tus padres te dicen que te aman?... Podemos estar seguros de que Jesús también se sintió así.

Jesús siempre hizo lo correcto. No trató de aparentar lo que no era ni tampoco dijo que fuese Dios. El ángel Gabriel le dijo a María que Jesús sería llamado Hijo de Dios. El propio Jesús reconoció que era el Hijo de Dios. Y él nunca le dijo a la gente que sabía más que su Padre, sino que afirmó: "El Padre es mayor que yo" (Juan 14:28).

Incluso cuando vivía en el cielo, Jesús hacía lo que su Padre le encargaba. Él amaba a su Padre y, por eso, lo escuchaba. Así que cuando vino a la Tierra, Jesús hizo lo que su Padre celestial le había mandado. No dedicó su tiempo a otras cosas. No nos sorprende que Jehová esté muy contento con su Hijo.

Nosotros también queremos complacer a Jehová, ¿verdad?... Entonces, tenemos que demostrar que realmente escuchamos a Dios, como hizo Jesús. Dios nos habla mediante la Biblia. No estaría bien fingir que lo escuchamos, pero luego creer y hacer cosas que van en contra de la Biblia, ¿no es cierto?... Y recuerda, si de veras amamos a Jehová, nos sentiremos felices de agradarle.

Ahora vamos a leer otros textos bíblicos que muestran lo que necesitamos saber y creer sobre Jesús: Mateo 7:21-23; Juan 4:25, 26, y 1 Timoteo 2:5, 6.

CAPÍTULO 6

EL GRAN MAESTRO SIRVIÓ A LOS DEMÁS

¿TE GUSTA cuando alguien hace algo bueno por ti?... Pues bien, no eres el único; en realidad, a todos nos gusta. El Gran Maestro lo sabía, y siempre estaba haciendo cosas por otras personas. Él dijo: 'No vine para que me sirvan, sino para servir' (Mateo 20:28).

Por eso, si queremos ser como el Gran Maestro, ¿qué debemos hacer?... Debemos servir a otros, hacer cosas buenas por ellos. Es cierto que muchas personas no actúan así. En realidad, la mayoría siempre quiere que los demás les sirvan. En cierta ocasión hasta los seguidores de Jesús se comportaron de esta manera. Todos querían ser el más importante.

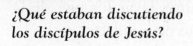

¿Qué estaban discutiendo los discípulos de Jesús?

Un día, Jesús iba con sus discípulos a la ciudad de Capernaum, cerca del mar de Galilea. Al llegar, entraron en una casa. Entonces, Jesús les preguntó: "¿Qué discutían en el camino?". Ellos se quedaron callados, porque en el camino habían discutido entre sí sobre quién era el más importante (Marcos 9: 33, 34).

Jesús sabía que no estaba bien que alguno de sus discípulos se creyera más importante que los demás. Por eso, como leímos en el primer capítulo de este libro, puso a un niño en medio de ellos y les dijo que debían ser humildes como él. Pero no entendieron. Así que, poco antes de morir, Jesús les enseñó una lección que nunca olvidarían. ¿Qué hizo?...

Pues bien, mientras comían juntos, Jesús se levantó de la mesa y se ató una toalla a la cintura. Después echó agua en una palangana. Sin duda, sus discípulos se preguntaban qué iba a hacer. Mientras observaban, Jesús se agachó y se puso a lavarles los pies a cada uno y a secárselos con la toalla. ¡Imagínate! Si hubieras estado allí, ¿cómo te habrías sentido?...

A los discípulos no les pareció bien que el Gran Maestro les lavara los pies, y se sintieron avergonzados. De hecho, Pedro no quería que Jesús hiciera aquella tarea tan humilde por él. Pero para Jesús era importante, y así se lo explicó a Pedro.

Aunque hoy en día no es costumbre que nos lavemos los pies unos a otros, en tiempos de Jesús sí lo era. ¿Sabes por qué?... Bueno, en el país donde vivían Jesús y sus seguidores, la gente usaba sandalias. Cuando andaban por los caminos llenos de polvo, se les ensuciaban los pies. Por lo tanto, lavar los pies de la persona que visitaba una casa era un acto de bondad.

Sin embargo, en aquella ocasión, ninguno de los discípulos se ofreció a realizar esta tarea. Por eso, Jesús mismo lo hizo. Así enseñó a sus seguidores una importante lección que necesitaban aprender. Nosotros también debemos aprenderla.

¿Sabes qué lección era?... Cuando Jesús volvió a sentarse a la mesa, explicó: "¿Saben lo que les he hecho? Ustedes me llaman: 'Maestro', y, 'Señor', y hablan correctamente, porque lo soy. Por eso, si yo, aunque soy Señor y Maestro, les he lavado los pies a ustedes, ustedes también deben lavarse los pies unos a otros" (Juan 13:2-14).

El Gran Maestro les mostró que quería que fueran serviciales. No quería que pensaran solo en sí mismos ni que se creyeran tan importantes que los demás siempre deberían servirles. Quería que estuvieran dispuestos a servir a otros.

¿Verdad que fue una buena lección?... Y tú, ¿serás como el Gran Maestro y servirás a los demás?... Todos podemos hacer cosas por otros. Eso los hará felices. Pero lo más importante es que hará felices a Jesús y su Padre.

Servir a los demás no es difícil. Si te fijas, verás que puedes hacer muchas cosas por otros. Piensa en esto: ¿hay algo en lo que

¿Qué lección enseñó Jesús a sus discípulos?

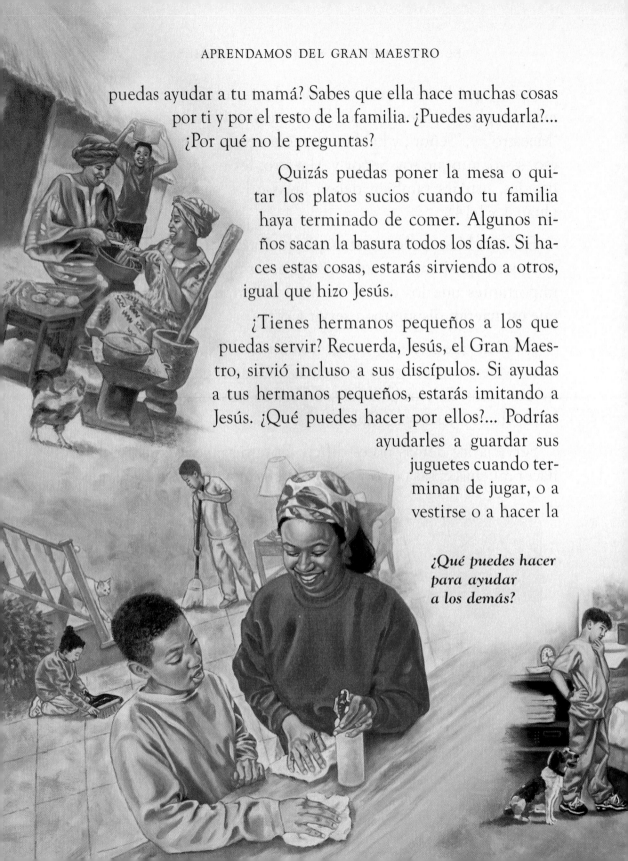

puedas ayudar a tu mamá? Sabes que ella hace muchas cosas por ti y por el resto de la familia. ¿Puedes ayudarla?... ¿Por qué no le preguntas?

Quizás puedas poner la mesa o quitar los platos sucios cuando tu familia haya terminado de comer. Algunos niños sacan la basura todos los días. Si haces estas cosas, estarás sirviendo a otros, igual que hizo Jesús.

¿Tienes hermanos pequeños a los que puedas servir? Recuerda, Jesús, el Gran Maestro, sirvió incluso a sus discípulos. Si ayudas a tus hermanos pequeños, estarás imitando a Jesús. ¿Qué puedes hacer por ellos?... Podrías ayudarles a guardar sus juguetes cuando terminan de jugar, o a vestirse o a hacer la

¿Qué puedes hacer para ayudar a los demás?

cama. ¿Se te ocurre algo más?... Ellos te querrán por esto, tal como los discípulos amaban a Jesús por las cosas buenas que hacía por ellos.

Además, puedes ser amable en la escuela con tus compañeros de clase o tus maestros. Si se le caen los libros a alguien, sería muy amable de tu parte que le ayudaras a recogerlos. También lo sería ofrecerte a limpiar la pizarra o ayudar de alguna otra manera a tus maestros. Incluso podrías sujetarle la puerta a alguien para que pase.

A veces, la gente no nos agradecerá que la ayudemos. ¿Crees que por eso deberíamos dejar de hacer lo bueno?... No. Muchas personas no le agradecieron a Jesús sus bondades, pero eso no lo desanimó.

Por lo tanto, nunca dejemos de servir a otras personas. Recordemos al Gran Maestro, Jesús, e intentemos seguir siempre su ejemplo.

Hay otros textos bíblicos que hablan de ayudar a los demás, como Proverbios 3:27, 28; Romanos 15:1, 2, y Gálatas 6:2.

CAPÍTULO 7

LA OBEDIENCIA NOS PROTEGE

¿TE GUSTARÍA hacer todo lo que quisieras y que nadie te dijera nunca lo que tienes que hacer? A ver, dime la verdad...

Sin embargo, ¿qué es lo mejor para ti? ¿Es en realidad hacer lo que quieras? ¿O te salen mejor las cosas cuando obedeces a tus padres?... Dios dice que se debe obedecer a los padres, de modo que tiene que haber una buena razón para ello. Veamos cuál puede ser.

¿Cuántos años tienes?... ¿Sabes cuántos años tienen tus padres o tus abuelos?... Ellos han vivido mucho más tiempo que tú. Y cuanto más vive una persona, más oportunidades tiene de aprender. Todos los años oye, ve y hace más cosas. Por eso, los niños pueden aprender de los mayores.

¿Por qué deberías obedecer a los mayores?

¿Conoces a alguien menor que tú?... ¿Sabes tú más que él?... ¿Por qué?... Porque has vivido más tiempo y has tenido más oportunidades de aprender.

¿Quién ha vivido más tiempo que tú, o yo, o cualquier otra persona?... Jehová Dios. Él sabe más que todos nosotros. Cuando nos manda hacer algo, podemos estar seguros de que es lo correcto, aunque nos cueste trabajo hacerlo. ¿Sabías que hasta al Gran Maestro le fue difícil obedecer en una ocasión?...

Aquella vez, Dios mandó a Jesús que hiciera algo muy difícil. Como vemos en la lámina, Jesús le pidió a Dios en oración: "Si deseas, remueve de mí esta copa". Con estas palabras, Jesús demostró que hacer la voluntad de Dios no siempre era fácil. Pero ¿sabes qué dijo Jesús al final de su oración?...

Jesús dijo: "Sin embargo, que no se efectúe mi voluntad, sino la tuya" (Lucas 22:41, 42). Él deseaba que se hiciera la voluntad de Dios, no la suya. Así que hizo lo que Dios quería y no lo que a él le parecía mejor.

¿Qué aprendemos de esto?... Aprendemos que siempre es apropiado hacer lo que Dios dice, aunque no sea fácil. Pero también aprendemos algo más. ¿Sabes qué es?... Pues que Dios y Jesús no son la misma persona, como dicen algunos. Jehová Dios es mayor y sabe más que su Hijo, Jesús.

Cuando obedecemos a Dios, demostramos que lo amamos. La Biblia dice: "Esto es lo que el amor de Dios significa: que observemos sus mandamientos" (1 Juan 5:3). Así que todos tenemos que obedecer a Dios. Tú deseas obedecerle, ¿no es verdad?...

¿Qué podemos aprender de la oración de Jesús?

Vamos a ver en la Biblia lo que Dios les dice a los niños que hagan. Leamos Efesios, capítulo 6, versículos 1, 2 y 3. Allí dice: "Hijos, sean obedientes a sus padres en unión con el Señor, porque esto es justo: 'Honra a tu padre y a tu madre'; que es el primer mandato con promesa: 'Para que te vaya bien y dures largo tiempo sobre la tierra'".

Como ves, es el propio Jehová Dios quien te dice que seas obediente a tus padres. ¿Qué significa "honrarlos"? Significa que debes mostrarles respeto. Y Dios promete que si obedeces a tus padres, te irá bien.

Voy a contarte la historia de unas personas que se salvaron por ser obedientes. Vivieron hace mucho tiempo en la gran ciudad de Jerusalén. La mayoría de sus habitantes no escuchaban a Dios. Por ello, Jesús les advirtió que Dios iba a hacer que la ciudad fuera destruida. También les explicó cómo podían escapar los que amaban lo correcto. Les dijo: 'Cuando vean a los ejércitos rodear Jerusalén, sabrán que pronto será destruida. Entonces es el momento de salir de Jerusalén y huir a las montañas' (Lucas 21:20-22).

Pues bien, tal como Jesús dijo, los ejércitos de Roma llegaron para rodear y atacar Jerusalén. Más tarde, por alguna razón, los soldados se marcharon. La mayoría de las personas creyeron que el peligro había pasado y se quedaron en la ciudad. Pero ¿qué había dicho Jesús que debían hacer?... ¿Qué habrías hecho tú si hubieras vivido en Jerusalén?... Los que realmente creyeron a Jesús dejaron sus casas y huyeron a las montañas, lejos de Jerusalén.

Pasó un año entero, y no le ocurrió nada a Jerusalén. El segundo y tercer año tampoco ocurrió nada. Algunos quizás pensaban que los que habían huido de la ciudad eran tontos. Pero al cuarto año, los ejércitos romanos volvieron y rodearon Jeru-

*¿Cómo se salvaron
las personas
que obedecieron
el mandato de Jesús?*

salén de nuevo. Entonces fue demasiado tarde para escapar. Esta vez, los
ejércitos destruyeron la ciudad. La mayo-
ría de sus habitantes murieron, y los que sobrevivieron fueron
llevados prisioneros.

Pero ¿qué les ocurrió a los que obedecieron a Jesús?... Estaban
a salvo, lejos de Jerusalén, y por eso no sufrieron daño. La obediencia los protegió.

¿Te protegerá a ti también la obediencia?... Quizás tus padres
te hayan prohibido jugar en la calle. ¿Por qué motivo?... Porque
podría atropellarte un automóvil. Pero a lo mejor un día piensas:
"Ahora no hay autos. No me pasará nada. Otros niños juegan en
la calle, y nunca he visto que les pase nada".

¿Por qué deberías obedecer
aunque no veas ningún peligro?

Eso fue lo que pensó la mayoría de la gente de Jerusalén. Cuando los ejércitos romanos se fueron, parecía un lugar seguro. Al ver que algunos se quedaban en la ciudad, los demás hicieron lo mismo. Se les había advertido, pero no prestaron atención, y a causa de esto perdieron la vida.

Veamos otro ejemplo. ¿Has jugado alguna vez con fósforos?... Quizás sea divertido ver el fuego cuando enciendes uno. Pero jugar con fósforos puede ser peligroso. Podría quemarse la casa, y tú podrías morir.

Recuerda, no basta con obedecer algunas veces. Lo que realmente te protegerá es obedecer siempre. Y ¿quién es el que dice: "Hijos, sean obedientes a sus padres"?... Es Dios. Y no olvides que él lo dice porque te ama.

Ahora vamos a leer unos textos bíblicos que muestran lo importante que es la obediencia: Proverbios 23:22; Eclesiastés 12:13; Isaías 48:17, 18, y Colosenses 3:20.

CAPÍTULO 8

HAY PERSONAS SUPERIORES A NOSOTROS

SEGURO que estás de acuerdo conmigo en que hay personas que son superiores a nosotros, es decir, más importantes y más fuertes. ¿Como quiénes?... Jehová Dios es una de ellas. ¿Y su Hijo, el Gran Maestro? ¿Es superior a nosotros?... Claro que sí.

Jesús vivió con Dios en el cielo. Era un hijo espiritual, o ángel. ¿Creó Dios otros ángeles, o hijos espirituales?... Sí, muchos millones. Los ángeles también son superiores y más poderosos que nosotros (Salmo 104:4; Daniel 7:10).

¿Recuerdas el nombre del ángel que habló con María?... Se llamaba Gabriel. Este le dijo a María que su bebé sería el Hijo de Dios. Jehová puso la vida de su Hijo espiritual en el vientre de María para que pudiera nacer en la Tierra (Lucas 1:26, 27).

¿Crees en ese milagro? ¿Crees que Jesús vivió con Dios en el cielo?... Jesús dijo que sí. ¿Cómo lo supo? Cuando era niño, María seguramente le contó las palabras de Gabriel. Además, es probable que José le dijera que su verdadero padre era Dios.

Cuando Jesús se bautizó, Dios incluso habló desde el cielo y dijo: "Este es mi Hijo" (Mateo 3:17). Y la noche antes de morir,

¿Qué es posible que María y José le contaran a Jesús?

Jesús le oró a Dios diciendo: "Padre, glorifícame al lado de ti mismo con la gloria que tenía al lado de ti antes que el mundo fuera" (Juan 17:5). Sí, Jesús pidió volver a vivir con Dios en el cielo. ¿Cómo sería esto posible?... Solo si Jehová Dios lo convertía de nuevo en una persona espiritual invisible, en un ángel.

Ahora deseo preguntarte algo importante. ¿Son buenos todos los ángeles? ¿Qué crees?... Hubo un tiempo en que todos eran buenos. Jehová fue quien los creó, y todo lo que él hace es bueno. Pero, un día, uno de ellos se hizo malo. ¿Cómo pudo suceder algo así?

Para saber la respuesta, debemos volver al tiempo en que Dios creó al primer hombre y la primera mujer, Adán y Eva. Algunas personas dicen que su historia es solo una leyenda, un cuento, pero el Gran Maestro sabía que era cierta.

¿Qué debían hacer Adán y Eva a fin de vivir para siempre en el Paraíso?

Cuando Dios creó a Adán y Eva, los puso en un hermoso parque, o paraíso, situado en un lugar llamado Edén. Podían haber tenido muchos hijos, convertirse en una gran familia y vivir en el Paraíso para siempre. Pero tenían que aprender una lección importante de la que ya hemos hablado antes. Veamos si podemos recordarla.

Jehová les dijo a Adán y Eva que podían comer del fruto de todos los árboles del jardín, menos de uno. Si comían de ese árbol, Dios les dijo que ciertamente morirían (Génesis 2:17). ¿Cuál era, pues, la lección que Adán y Eva tenían que aprender?...

La lección de la obediencia. En realidad, la vida depende de obedecer a Jehová Dios. No era suficiente con que Adán y Eva simplemente dijeran que obedecerían. Tenían que demostrarlo con hechos. Si obedecían a Dios, estarían mostrando que lo amaban y deseaban que él los gobernara. Entonces podrían haber vivido para siempre en el Paraíso. Pero si comían de aquel árbol, ¿qué demostrarían?...

Demostrarían que no estaban realmente agradecidos a Dios por lo que él les había dado. ¿Habrías obedecido a Jehová si hubieras estado allí?... Al principio, Adán y Eva lo hicieron. Pero después, alguien superior a ellos engañó a Eva y consiguió que desobedeciera a Jehová. ¿Quién fue?...

¿Quién hizo que la serpiente le hablara a Eva?

La Biblia dice que una serpiente le habló a Eva. ¿Cómo es posible, si las serpientes no pueden hablar?... Un ángel hizo que pareciera que la serpiente estaba hablando. Pero en realidad era él quien hablaba. Ese ángel había empezado a pensar cosas malas. Quería que Adán y Eva lo adoraran, que hicieran lo que él les mandara. Quería ocupar el lugar de Dios.

Así que aquel ángel malvado puso malos pensamientos en la mente de Eva. Usando a la serpiente, le aseguró: 'Dios no les dijo la verdad. No morirán si comen del árbol. Se harán sabios como Dios'. ¿Habrías creído tú lo que decía aquella voz?...

Eva empezó a desear algo que Dios no le había dado. Comió del fruto prohibido, y después le dio de él a Adán. Él no creyó las palabras de la serpiente, pero su deseo de estar con Eva fue mayor que su amor a Dios. Por eso también comió del árbol (Génesis 3:1-6; 1 Timoteo 2:14).

¿Cuál fue el resultado?... Adán y Eva se hicieron imperfectos, envejecieron y murieron. Y como ellos eran imperfectos, todos sus hijos también lo

¿Qué les ocurrió a Adán y Eva después de que desobedecieron a Dios?

fueron, y con el tiempo envejecieron y murieron. Dios no había mentido. La vida depende de que le obedezcamos (Romanos 5:12). La Biblia nos dice que el ángel que engañó a Eva se llama Satanás el Diablo, y que a los ángeles que se hicieron malos se les llama demonios (Santiago 2:19; Revelación [Apocalipsis] 12:9).

¿Entiendes entonces por qué el ángel bueno se hizo malo?... Fue porque comenzó a pensar cosas malas. Quiso ser el número uno. Como sabía que Dios les había dicho a Adán y Eva que tuvieran hijos, quería que todos ellos lo adoraran a él. El Diablo quiere que todos desobedezcamos a Jehová. Por eso intenta poner malos pensamientos en nuestra mente (Santiago 1:13-15).

El Diablo afirma que nadie ama de verdad a Jehová. Dice que ni tú ni yo amamos a Dios, y que en realidad no queremos hacer lo que Él manda. Asegura que solo obedecemos a Jehová cuando las cosas salen como nosotros queremos. ¿Tiene razón el Diablo? ¿Somos así?

El Gran Maestro dijo que el Diablo es un mentiroso. Jesús demostró que realmente amaba a Jehová obedeciéndole. Y no lo hizo solamente cuando era fácil, sino en todo momento, incluso cuando otras personas se lo pusieron difícil. Demostró que era leal a Jehová hasta su misma muerte. Por ese motivo, Dios hizo que volviera a vivir, y que esta vez fuera para siempre.

Así que, ¿quién dirías tú que es nuestro mayor enemigo?... Sí, es Satanás el Diablo. ¿Podemos verlo?... ¡Desde luego que no! Pero sabemos que existe y que es superior y más poderoso que nosotros. Sin embargo, ¿quién es superior al Diablo?... Jehová Dios. Por eso estamos seguros de que Dios puede protegernos.

Leamos sobre la Persona a la que debemos adorar: Deuteronomio 30: 19, 20; Josué 24:14, 15; Proverbios 27:11, y Mateo 4:10.

CAPÍTULO 9

TENEMOS QUE RESISTIR LAS TENTACIONES

¿ALGUNA vez te han pedido que hagas algo malo?... ¿Te han desafiado a que lo hagas? ¿O te han dicho que sería divertido y que en realidad no es nada malo?... La persona que hace eso está tentándote.

¿Cómo deberíamos reaccionar cuando se nos tienta? ¿Deberíamos hacer lo malo?... Eso no le agradaría a Jehová Dios. Sin embargo, ¿sabes a quién sí le alegraría?... A Satanás el Diablo.

Satanás es el enemigo de Dios, y también es el nuestro. No podemos verlo porque es un espíritu, pero él sí puede vernos. En una ocasión, el Diablo tentó a Jesús, el Gran Maestro. Veamos qué hizo Jesús, y así sabremos cómo actuar ante una tentación.

Jesús siempre quiso hacer la voluntad de Dios, y lo demostró claramente cuando se bautizó en el río Jordán. Fue poco después de su bautismo cuando Satanás lo tentó. La Biblia dice que *"los cielos se abrieron"* para Jesús (Mateo 3:16). Probablemente, aquello significó que Jesús comenzó a recordar su vida anterior en el cielo con Dios.

Después de su bautismo, Jesús se fue al desierto para pensar en las cosas que había comenzado a recordar. Pasaron cuarenta días y cuarenta

¿Qué es probable que empezara a recordar Jesús cuando se bautizó?

noches. Durante todo ese tiempo, Jesús estuvo sin comer, así que tenía mucha hambre. Fue entonces cuando Satanás lo tentó.

El Diablo le dijo: "Si eres hijo de Dios, di a estas piedras que se conviertan en panes". ¡Con qué ganas se habría comido Jesús un trozo de pan! Pero ¿podía él convertir aquellas piedras en pan?... Claro que sí, pues él era el Hijo de Dios y tenía poderes especiales.

¿Habrías convertido tú una piedra en pan si el Diablo te lo hubiera pedido?... Jesús tenía hambre. ¿No tendría razón para hacerlo al menos una vez?... Jesús sabía que no estaba bien utilizar de aquella manera los poderes que Jehová le había dado. Debía usarlos para acercar a las personas a su Padre, no para beneficiarse él mismo.

Así que, en vez de hacerle caso a Satanás, Jesús le citó lo que está escrito en la Biblia: 'El hombre no debe vivir solo de pan, sino de todas las palabras que salen de la boca de Jehová'. Jesús sabía que agradar a Jehová era mucho más importante que tener algo que comer.

Pero el Diablo volvió a intentarlo. Esta vez llevó a Jesús a Jerusalén y lo colocó en una parte alta del templo. Allí le

¿Cómo utilizó el Diablo piedras para tentar a Jesús?

dijo: 'Si eres hijo de Dios, tírate abajo, porque está escrito que Dios enviará a sus ángeles para que no te lastimes'.

¿Por qué dijo eso Satanás?... Quería tentar a Jesús para que hiciera algo peligroso. Pero Jesús tampoco le hizo caso esta vez, sino que le respondió: "Está escrito: 'No debes poner a prueba a Jehová tu Dios'". Jesús sabía que no estaba bien poner a prueba a Jehová arriesgando la vida.

Sin embargo, Satanás no se dio por vencido. Llevó a Jesús a una montaña muy alta y le mostró todos los reinos, o gobiernos, del mundo y su gloria. Entonces le dijo: "Todas estas cosas te las daré si caes y me rindes un acto de adoración".

Piensa en la oferta del Diablo. ¿Eran en realidad de Satanás todos aquellos reinos, o gobiernos humanos?... Bueno, Jesús no dijo que no le pertenecían a Satanás. Si el Diablo hubiera mentido, Jesús se lo habría dicho. Así es, Satanás es el gobernante de todas las naciones del mundo. La Biblia incluso lo llama "el gobernante de este mundo" (Juan 12:31).

¿Qué harías si el Diablo prometiera darte algo a cambio de que lo adoraras?... Jesús sabía que estaba mal adorar al Diablo, sin importar lo que este pudiera darle. Por eso le dijo: '¡Vete, Satanás! Porque la Biblia dice que debes adorar a Jehová tu Dios y que solo debes servirle a él' (Mateo 4:1-10; Lucas 4:1-13).

Nosotros también nos enfrentamos a tentaciones. ¿Sabes cuáles son algunas?... Por ejemplo, puede que tu madre haga un bizcocho o algún otro postre delicioso y te diga que no debes probarlo hasta la hora de comer. Pero tú tienes mucha hambre y te sientes tentado a probarlo. ¿Obedecerás a tu mamá?... Satanás quiere que desobedezcas.

¿Por qué pudo Satanás ofrecer a Jesús todos estos reinos?

Recuerda a Jesús: él también estaba hambriento, pero sabía que agradar a Dios era más importante que comer. Tú demostrarás que eres como Jesús si obedeces a tu madre.

Puede que otros niños te pidan que tomes unas pastillas que, según ellos, te harán sentir muy contento. Pero esas pastillas quizás sean drogas que pueden enfermarte o hasta matarte. O tal vez alguien te ofrezca un

¿Qué harás
si eres tentado?

cigarrillo, que también contiene sustancias dañinas, y te diga: "¡A que no te atreves a fumarlo!". ¿Qué harás?...

Recuerda a Jesús. Satanás intentó hacer que Jesús pusiera en peligro su vida cuando le pidió que saltara del templo. Pero Jesús no lo hizo. ¿Qué harías tú si alguien te desafía a que hagas algo peligroso?... Jesús no escuchó a Satanás. Tú tampoco deberías escuchar a nadie que trate de convencerte para que hagas cosas malas.

Tal vez algún día te pidan que adores una imagen, algo que la Biblia prohíbe (Éxodo 20:4, 5). Puede que ocurra durante una ceremonia en la escuela, y te digan que no podrás volver a la escuela si te niegas a adorarla. ¿Qué harás?...

Es fácil hacer lo bueno cuando todo el mundo lo hace, pero resulta muy difícil cuando otros quieren convencernos para que hagamos lo malo. Tal vez digan que lo que están haciendo no es tan malo. Sin embargo, lo más importante es: ¿qué opina Dios? Él sabe más que nosotros.

Por eso, sin importar lo que opinen los demás, nunca debemos hacer cosas que Dios diga que son malas. De esa forma, siempre haremos feliz a Dios y nunca agradaremos al Diablo.

Se puede encontrar más información sobre cómo resistir la tentación de hacer lo malo en Salmo 1:1, 2; Proverbios 1:10, 11; Mateo 26:41, y 2 Timoteo 2:22.

¿Por qué está mal utilizar imágenes para adorar a Dios?

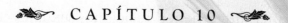
JESÚS ES MÁS PODEROSO QUE LOS DEMONIOS

¿**R**ECUERDAS por qué uno de los ángeles de Dios se convirtió en Satanás el Diablo?... Era egoísta y deseaba que lo adoraran a él; por eso se volvió contra Dios. ¿Halló Satanás seguidores entre los demás ángeles?... Sí. La Biblia los llama 'ángeles de Satanás', o demonios (Revelación [Apocalipsis] 12:9).

¿Qué cosa mala hicieron estos ángeles?

¿Creen estos ángeles malos en Dios?... Las Escrituras dicen que 'los demonios creen que Dios existe' (Santiago 2:19). Pero en la actualidad tienen miedo, pues saben que él los castigará por las maldades que han cometido. ¿Cuáles son?...

La Biblia explica que aquellos ángeles abandonaron el lugar que debían ocupar en el cielo y bajaron a la Tierra para vivir como los humanos. Lo hicieron porque deseaban tener relaciones sexuales con las bellas mujeres de la Tierra (Génesis 6:1, 2; Judas 6). ¿Qué sabes sobre las relaciones sexuales?...

Un hombre y una mujer tienen relaciones sexuales cuando se unen de una manera muy especial. Esta unión puede dar vida a un bebé que se irá desarrollando en el vientre de la madre. Dios desea que solo las personas que están casadas se unan de esa manera. Así, cuando nace un bebé, tanto el esposo como la esposa pueden cuidarlo. Sin embargo, a los ángeles no les está permitido tener ese tipo de relaciones.

Después de que los ángeles se hicieron cuerpos humanos y tuvieron relaciones sexuales con las mujeres, les nacieron hijos que crecieron hasta hacerse gigantes. Estos eran muy crueles y lastimaban a la gente. Por eso Dios envió un diluvio —una gran inundación— para destruir a los gigantes y a toda la gente mala. Pero hizo que Noé construyera un arca, o un enorme barco, para salvar a las pocas personas que hacían lo bueno. El Gran Maestro dijo que es importante recordar lo que ocurrió en el Diluvio (Génesis 6:3, 4, 13, 14; Lucas 17:26, 27).

¿Sabes qué hicieron los ángeles malos cuando vino el Diluvio?... Dejaron de usar los cuerpos humanos que se habían hecho y volvieron al cielo. Pero ya no podían ser án-

¿Por qué hay más problemas que nunca en la Tierra?

geles de Dios, por eso se convirtieron en ángeles de Satanás, en demonios. ¿Y qué les pasó a sus hijos, los gigantes?... Murieron en el Diluvio, junto con todos los que no obedecieron a Dios.

Después del Diluvio, Dios nunca más permitió que los demonios se hicieran cuerpos humanos. Sin embargo, aunque no podemos verlos, los demonios siguen tratando de conseguir que la gente haga lo malo. Hoy causan más problemas que nunca porque se les ha arrojado a la Tierra.

¿Sabes por qué no podemos ver a los demonios?... Porque son espíritus. Sin embargo, podemos estar seguros de que existen. La Biblia dice que Satanás está 'engañando a personas de toda la tierra' con ayuda de sus demonios (Revelación 12:9, 12).

¿Pueden el Diablo y sus demonios engañarnos también a nosotros?... Sí, lo harán si no tenemos cuidado. Pero no hay por qué temer. El Gran Maestro dijo: 'El Diablo no tiene dominio sobre mí'. Si nos mantenemos cerca de Dios, él nos protegerá del Diablo y sus demonios (Juan 14:30).

Es importante saber cuáles son las cosas malas que los demonios intentarán que hagamos. Así que piensa: ¿qué cosas malas hicieron los demonios cuando vinieron a la Tierra?... Antes del Diluvio, tuvieron relaciones sexuales con mujeres, algo que les estaba prohibido. Hoy en día, los demonios se alegran cuando las personas no obedecen las leyes de Dios sobre las relaciones sexuales. A ver si recuerdas: ¿quiénes son los únicos que pueden tener relaciones de este tipo?... Tienes razón, solo los casados.

En nuestros días hay muchachos y muchachas que tienen relaciones sexuales, y eso es malo. La Biblia habla del "órgano genital" masculino, que se llama pene (Levítico 15:1-3). Los genitales femeninos reciben el nombre de vulva. Jehová creó estas partes del cuerpo con una función especial de la que solo deberían gozar las personas casadas. Los demonios se alegran cuando la gente hace cosas que Jehová prohíbe, por ejemplo, cuando un niño y una niña juegan con los genitales del otro. ¿Verdad que no queremos agradar a los demonios?...

Hay otra cosa que a los demonios les gusta, pero que Jehová odia. ¿Sabes qué es?... La violencia (Salmo 11:5). La gente violenta se comporta de forma cruel y lastima a los demás. Recuerda, eso era lo que hacían aquellos gigantes, que eran hijos de los demonios.

Los demonios también disfrutan asustando a la gente. A veces fingen ser personas que han muerto, e incluso imitan sus voces. Así engañan a muchos para

¿Qué puede ocurrir si vemos programas violentos?

que crean que los muertos siguen con vida y pueden hablar con los vivos. De ahí que tantas personas crean que existen los fantasmas.

Por lo tanto, debemos estar alerta para que Satanás y sus demonios no nos engañen. La Biblia nos advierte: 'Satanás intenta hacerse pasar por un ángel bueno, y sus siervos hacen lo mismo' (2 Corintios 11:14, 15). Pero en realidad, los demonios son malos. Veamos qué métodos pueden usar para que seamos como ellos.

¿Dónde aprende tanto la gente sobre la violencia, las relaciones sexuales que Dios prohíbe y los espíritus y fantasmas?... ¿Verdad que es en los programas de televisión, los videojuegos, Internet y los libros de historietas? ¿Nos acercan estas cosas más a Dios, o por el contrario, al Diablo y sus demonios? ¿Qué opinas?...

¿Qué deberíamos hacer para protegernos de Satanás y sus demonios?

¿Quiénes desean que escuchemos y veamos cosas malas?... Satanás y sus demonios. Por eso, ¿qué debemos hacer?... Tenemos que leer, escuchar y ver cosas que sean de provecho y nos ayuden a servir a Jehová. ¿Se te ocurren algunas?...

Si hacemos lo bueno, no hay razón para temer a los demonios, pues Jesús es más poderoso que ellos. En una ocasión, los demonios le preguntaron asustados: "¿Viniste a destruirnos?" (Marcos 1:24). ¿Verdad que nos alegraremos cuando Jesús los destruya?... Mientras tanto, podemos estar seguros de que Jesús nos protegerá de ellos si nos mantenemos cerca de él y de su Padre celestial.

Veamos lo que debemos hacer para protegernos de Satanás y sus demonios en 1 Pedro 5:8, 9 y Santiago 4:7, 8.

CAPÍTULO 11

LOS ÁNGELES DE DIOS NOS AYUDAN

ALGUNAS personas dicen que solo creen en lo que ven, pero eso no tiene sentido. Hay muchas cosas que nunca hemos visto y, sin embargo, existen. ¿Cuáles son algunas?...

¿Podemos sentir el aire que respiramos?... Levanta la mano y sopla sobre ella. ¿Sientes algo?... Sí, el aire, pero ¿verdad que no podemos verlo?...

En capítulos anteriores hablamos de seres espirituales que son invisibles. Aprendimos que algunos son buenos y otros malos. ¿Podrías nombrar algunos de los buenos?... Sí, están Jehová Dios, Jesús y los ángeles buenos. ¿Acaso hay ángeles malos también?... La Biblia dice que sí. ¿Qué aprendiste sobre ellos?...

Sabemos que tanto los ángeles buenos como los malos son más fuertes que nosotros. El Gran Maestro conocía muchas cosas sobre los ángeles porque antes de nacer en la Tierra había sido uno de ellos. Había vivido con millones de ángeles en el cielo. ¿Tienen todos los ángeles nombre?...

Aprendimos que Dios les dio nombre a las estrellas. Así que de seguro los ángeles también tienen nombre. Además, sabemos que se comunican entre ellos, porque la Biblia menciona el 'idioma de los ángeles' (1 Corintios 13:1). ¿De qué crees que hablan? ¿Hablarán de nosotros, los que vivimos en la Tierra?...

Vimos que los ángeles de Satanás desean que desobedezcamos a Jehová. Por eso, es posible que hablen sobre cómo lograrlo.

Quieren que seamos como ellos para que Jehová no esté contento con nosotros. ¿Y los ángeles fieles? ¿Crees que también hablan de nosotros?... Sí, porque quieren ayudarnos. Te contaré cómo algunos ayudaron a personas que amaban y servían a Jehová.

Por ejemplo, había un hombre llamado Daniel que vivía en Babilonia. Pocas personas allí amaban a Jehová. Incluso hicieron una ley que castigaba a cualquiera que orara a Dios. Pero Daniel no dejó de orar. ¿Sabes qué le hicieron?...

Unos hombres malos hicieron que se arrojara a Daniel a un foso de leones. Daniel estaba solo ante aquellas fieras hambrientas. ¿Qué le sucedió?... Él nos cuenta: "Dios envió a su ángel y cerró la boca de los leo-

¿Qué hizo Dios para salvar a Daniel?

nes". ¡No le causaron ningún daño! Los ángeles pueden hacer cosas maravillosas por los siervos de Jehová (Daniel 6:18-22).

En cierta ocasión se encarceló a Pedro, que, como recordarás, era amigo del Gran Maestro, Jesucristo. Algunos se habían enfadado cuando Pedro dijo que Jesús era el Hijo de Dios. Por eso lo metieron en la cárcel y pusieron soldados a vigilarlo para que no se escapara. ¿Podría ayudarle alguien?...

Pedro estaba durmiendo en medio de dos soldados y tenía las manos encadenadas. Pero la Biblia dice: '¡Mira! Vino el ángel de Jehová, y una luz brilló en la celda de la prisión. El ángel tocó a Pedro en el costado para despertarlo y le dijo: "¡Deprisa, levántate!"'.

¿Cómo ayudó el ángel a Pedro
a salir de la cárcel?

En ese momento, a Pedro se le soltaron las cadenas de las manos, y el ángel le ordenó: 'Vístete, ponte las sandalias y sígueme'. Los soldados no pudieron detenerlos porque era un ángel quien ayudaba a Pedro. Entonces llegaron ante una puerta de hierro y ocurrió algo extraño: la puerta se abrió sola. El ángel había liberado a Pedro para que siguiera predicando (Hechos 12:3-11).

¿Pueden los ángeles de Dios ayudarnos también a nosotros?... Por supuesto. ¿Significa eso que nunca permitirán que suframos daño?... No. Si actuamos de forma arriesgada, los ángeles no impedirán que nos lastimemos. Sin embargo, habrá veces en que suframos aunque no hayamos hecho nada arriesgado. Dios no ha ordenado a los ángeles que nos protejan todo el tiempo. Pero sí les ha dado una misión especial.

La Biblia habla de un ángel que está diciendo a la gente en todas partes que adore a Dios (Revelación [Apocalipsis] 14:6, 7). ¿Cómo lo hace? ¿Acaso grita desde el cielo para que todo el mundo lo oiga?... No. Son los seguidores de Jesús en la Tierra quienes se encargan de hablar a otras personas de Dios, y los ángeles los guían en su predicación. Los ángeles se aseguran de que las personas que realmente desean conocer a Dios tengan la oportunidad de escuchar. Nosotros podemos participar en esta obra, y los ángeles nos ayudarán.

Pero ¿qué haremos si personas que no aman a Dios nos causan problemas? ¿Y si nos encarcelan? ¿Nos liberarán los ángeles?... Podrían, pero no siempre lo hacen.

En una ocasión, Pablo, uno de los seguidores de Jesús, viajaba como prisionero en un barco durante una terrible tormenta. Pero los ángeles no lo libraron enseguida, porque había otras personas que necesitaban oír sobre Dios. Un ángel le dijo: "No temas, Pablo. Tienes que estar de pie ante César". Pablo fue llevado ante el emperador de Roma para que le predicara. Los ángeles siempre supieron dónde estaba Pablo y le ayudaron. También nos ayudarán a nosotros si servimos a Dios lealmente (Hechos 27:23-25).

A los ángeles les queda otra misión importantísima que cumplir, y lo harán pronto. Se acerca el momento en que Dios destruirá a los malvados, a todos los que no lo adoran. Quienes dicen que no creen en los ángeles porque no pueden verlos descubrirán lo equivocados que están (2 Tesalonicenses 1:6-8).

¿Qué significará eso para nosotros?... Si nos ponemos del lado de los ángeles de Dios, nos ayudarán. Pero ¿estamos de su lado?... Lo estaremos si servimos a Jehová. Y si le servimos, animaremos a otras personas a servirle también.

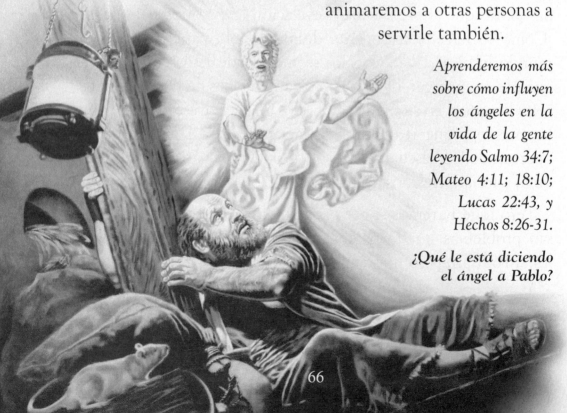

Aprenderemos más sobre cómo influyen los ángeles en la vida de la gente leyendo Salmo 34:7; Mateo 4:11; 18:10; Lucas 22:43, y Hechos 8:26-31.

¿Qué le está diciendo el ángel a Pablo?

CAPÍTULO 12

JESÚS NOS ENSEÑA A ORAR

¿HABLAS tú con Jehová Dios?... Él quiere que lo hagas. Cuando le hablas a Dios, estás orando. Jesús hablaba a menudo con su Padre celestial, y a veces prefería hacerlo a solas. La Biblia cuenta que en una ocasión "subió solo a la montaña a orar. Aunque se hizo tarde, estaba allí solo" (Mateo 14:23).

¿Dónde puedes orar a Jehová a solas?... Tal vez en tu habitación antes de acostarte. Jesús dijo: "Cuando ores, entra en tu cuarto privado y, después de cerrar tu puerta, ora a tu Padre" (Mateo 6:6). ¿Oras cada noche antes de dormir?... Deberías hacerlo.

Jesús oraba también cuando estaba con otras personas. Cuando murió su amigo Lázaro, oró con

Jesús oró cuando estaba solo y cuando estaba con otras personas

¿Por qué deberíamos escuchar con atención las oraciones que se hacen en las reuniones?

otros en el lugar donde lo habían enterrado (Juan 11:41, 42). Además, Jesús oraba cuando se reunía con sus discípulos. ¿Vas a reuniones donde se ora?... Por lo general, en estas ocasiones un adulto pronuncia la oración. Deberías escuchar con atención sus palabras, pues está hablando con Dios a favor tuyo. Entonces podrás decir "amén" al final de la oración. ¿Sabes por qué decimos "amén"?... Para mostrar que nos gustó la oración, que estamos de acuerdo con ella y que deseamos que sea también nuestra oración.

Además, Jesús oraba antes de las comidas, dando gracias a Jehová por el alimento. Y tú, ¿oras siempre antes de comer?... Es bueno que demos gracias a Jehová antes de empezar a comer. Hay veces en que otra persona hace la oración. Pero si estás comiendo solo o con alguien que no le da las gracias a Jehová, ¿qué debes hacer?... Entonces tienes que hacer tu propia oración.

¿Hay que orar siempre en voz alta? ¿O escucha Jehová las oraciones que se hacen en silencio?... Veamos lo que le ocurrió a Nehemías. Él era un adorador de Jehová que trabajaba en el pa-

68

lacio del rey persa Artajerjes. Un día, Nehemías se puso muy triste al enterarse de que estaban en ruinas las murallas de Jerusalén, la capital de su país.

Cuando el rey le preguntó a Nehemías por qué estaba triste, lo primero que hizo Nehemías fue orar en silencio. Después le explicó al rey por qué se sentía así y le pidió permiso para ir a Jerusalén y reconstruir las murallas. ¿Qué ocurrió?...

Dios contestó la oración de Nehemías. El rey le permitió ir y, además, le dio mucha madera para construir las murallas. Como vemos, Dios puede contestar nuestras oraciones aunque las hagamos en silencio (Nehemías 1: 2, 3; 2:4-8).

¿Cuándo puedes orar en silencio como hizo Nehemías?

¿Hay que inclinar la cabeza para orar? ¿O arrodillarse? ¿Tú qué crees?... A veces, Jesús se arrodilló para orar, y otras veces se quedó de pie. En ocasiones levantó la cabeza hacia el cielo, por ejemplo, cuando oró por Lázaro.

¿Qué demuestra esto?... Pues que la postura del cuerpo no es lo más importante. Algunas veces tal vez sea bueno inclinar la cabeza y cerrar los ojos. Otras veces quizás quieras arrodillarte, como hizo Jesús. Pero recuerda: podemos orar a Dios a cualquier hora del día o de la noche, y él nos escuchará. Lo principal es que creamos que Jehová está escuchando. ¿Lo crees tú?...

¿Qué deberíamos decir en nuestras oraciones?... A ver: cuando oras, ¿de qué le hablas a Dios?... Jehová nos da muchísimas cosas buenas. ¿No es cierto que deberíamos darle las gracias por ellas?... Aunque es bueno agradecer el alimento, ¿le has dado alguna vez las gracias por el cielo azul, las plantas, los árboles y las hermosas flores?... Él también los creó.

Los discípulos de Jesús le pidieron en una ocasión que les enseñara a orar. El Gran Maestro les enseñó cuáles eran las cosas más importantes por las que debían orar. ¿Las sabes tú?... Si abres tu Biblia en Mateo, capítulo 6, versículos 9 al 13, encontrarás lo que se conoce como la oración del padrenuestro. Vamos a leerla juntos.

¿De qué puedes hablarle a Dios en tu oración?

70

Como hemos leído, Jesús dijo que pidiéramos en nuestras oraciones que el nombre de Dios fuera santificado, es decir, tratado como algo santo. ¿Cómo se llama Dios?... Sí, Jehová, y deberíamos amar su nombre.

En segundo lugar, Jesús nos enseñó a pedir que viniera el Reino de Dios. Ese Reino es importante porque traerá paz a la Tierra y la convertirá en un paraíso.

En tercer lugar, el Gran Maestro dijo que oremos para que se haga la voluntad de Dios en la Tierra tal como se hace en el cielo. Si pedimos esto, también deberíamos hacer lo que él desea que hagamos, o sea, su voluntad.

A continuación, Jesús nos enseñó a pedir el alimento que necesitamos para cada día. Además, dijo que deberíamos arrepentirnos y pedirle perdón a Dios por los errores que cometemos. Sin embargo, si queremos que él nos perdone, debemos perdonar a quienes nos hayan hecho algo malo. ¿Te resulta fácil perdonar?...

Por último, Jesús nos enseñó a pedir a Jehová Dios que nos proteja del inicuo, Satanás el Diablo. Podemos mencionar en las oraciones todas estas cosas buenas.

Debemos creer que Jehová escucha nuestras oraciones. Pero además de pedir ayuda, deberíamos darle gracias. Él se alegra cuando en nuestras oraciones decimos lo que en realidad sentimos y pedimos cosas apropiadas. Y, sin duda, él nos dará lo que pidamos. ¿Lo crees así?...

Encontramos buenos consejos sobre la oración en Romanos 12:12; 1 Pedro 3:12, y 1 Juan 5:14.

CAPÍTULO 13

LOS DISCÍPULOS DE JESÚS

¿QUIÉN es el siervo de Dios más fiel que haya existido?... Has dicho bien: Jesucristo. ¿Crees que podemos imitarlo?... Bueno, la Biblia dice que él nos puso el ejemplo para que lo sigamos. Y él nos invita a ser sus discípulos, o seguidores.

¿Sabes qué significa ser discípulo de Jesús?... Significa varias cosas. La primera, aprender de él. Pero eso no es todo. También debemos creer de verdad lo que nos enseña y obedecer sus mandatos.

Hay muchos que afirman que creen en Jesús. ¿Piensas que todos ellos son realmente discípulos suyos?... La mayoría no lo son. Quizás vayan a la iglesia, pero nunca han sacado tiempo para aprender las enseñanzas del Gran Maestro. En realidad, solo son discípulos de Jesús quienes imitan su ejemplo.

Hablemos de algunos que se hicieron discípulos de Jesús cuando él vivió en la Tierra. Uno de los primeros fue Felipe. Este se apresuró a buscar a su amigo Natanael (también llamado Bartolomé), quien estaba sentado debajo de un árbol, como se ve en la lámina. Cuando Natanael se acercó a Jesús, este le dijo: 'Aquí viene un verdadero israelita, un hombre sincero'. Sorprendido, Natanael le preguntó: "¿Cómo es que me conoces?".

¿Quién es este hombre, y cómo llegó a ser discípulo de Jesús?

Jesús le contestó: "Antes que Felipe te llamara, mientras estabas debajo de la higuera, te vi". Natanael se asombró de que Jesús supiera exactamente dónde estaba él, así que dijo: "Tú eres el Hijo de Dios, tú eres el Rey de Israel" (Juan 1:49).

Otros se hicieron discípulos un día antes que Felipe y Natanael. Fueron

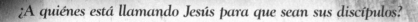

¿A quiénes está llamando Jesús para que sean sus discípulos?

Andrés y su hermano Pedro, así como Juan y, quizás, su hermano Santiago (Juan 1:35-51). Sin embargo, algún tiempo después, los cuatro volvieron a su oficio de pescadores. Un día, mientras Jesús caminaba por la orilla del mar de Galilea, vio a Pedro y Andrés echando una red de pescar al mar. Jesús los llamó: 'Síganme'.

Un poco más adelante, Jesús vio a Santiago y a Juan. Estaban en una barca con su padre reparando las redes de pescar. Jesús también los invitó a seguirlo. ¿Qué habrías hecho tú si Jesús te hubiera llamado? ¿Te habrías ido enseguida con él?... Aquellos hombres sabían quién era Jesús. Sabían que Dios lo había enviado. Por eso, inmediatamente dejaron su trabajo de pescadores y lo siguieron (Mateo 4:18-22).

Después que aquellos hombres llegaron a ser discípulos de Jesús, ¿hicieron siempre lo que estaba bien?... No. Tal vez recuerdes que incluso discutieron entre sí sobre quién era el más importante de todos. Pero escucharon a Jesús y estuvieron dispuestos a cambiar. Si nosotros también estamos dispuestos a cambiar, podemos ser discípulos de él.

Jesús invitó a todo tipo de personas para que fueran sus discípulos. En una ocasión, un joven gobernante rico fue a verlo y le preguntó qué debía hacer para conseguir la vida eterna. Cuando el joven afirmó que había obedecido los mandamientos de Dios desde niño, Jesús le dijo: "Ven, sé mi seguidor". ¿Sabes qué ocurrió?...

Al enterarse de que ser discípulo de Jesucristo tenía que ser más importante que poseer riquezas, el joven se puso muy triste. No se hizo discípulo de Jesús porque amaba más su dinero que a Dios (Lucas 18:18-25).

Jesús había predicado durante casi un año y medio cuando escogió a doce de sus discípulos para que fueran sus apóstoles. Los apóstoles eran hombres a los que se les encargó un trabajo especial. ¿Sabes cuáles son sus nombres?... Vamos a ver si podemos aprenderlos. Fíjate en los dibujos y trata de leer los nombres. Luego intenta repetirlos de memoria.

Con el tiempo, uno de los doce apóstoles, llamado Judas Iscariote, se volvió malo, y otro discípulo ocupó su lugar. ¿Sabes

Judas Iscariote

Pedro

quién fue?... Matías. Tiempo después, Pablo y Bernabé también llegaron a ser apóstoles, pero no formaron parte de los doce (Hechos 1:23-26; 14:14).

Como aprendimos en el primer capítulo de este libro, Jesús se interesaba en los niños. ¡Por qué?... Porque sabía que también podían llegar a ser discípulos suyos. Lo cierto es que a menudo los niños dicen las cosas de tal forma que hasta los adultos los escuchan y quieren aprender más acerca del Gran Maestro.

Muchas mujeres se hicieron también discípulas de Jesús. Algunas, como María Magdalena, Juana y Susana, lo

Andrés

Judas (también llamado Tadeo)

Santiago (hermano de Juan)

Simón

Santiago (hijo de Alfeo)

Juan

Tomás

Mateo

Felipe

Natanael

¿Quiénes eran estas mujeres que ayudaron a Jesús cuando iba predicando?

acompañaban cuando iba a predicar a otras ciudades. Es posible que también le ayudaran preparando comida y lavándole la ropa (Lucas 8:1-3).

¿Quieres ser discípulo de Jesús?... Recuerda: no nos convertimos en discípulos de Jesús solo con decir que creemos en él. Debemos comportarnos como discípulos suyos en cualquier lugar donde estemos, no solo en las reuniones cristianas. ¿Se te ocurre algún lugar donde sea importante comportarse así?...

Sí, en casa. Otro lugar sería la escuela. Lo que nunca debemos olvidar es que para ser un verdadero discípulo de Jesús tenemos que comportarnos como él en todo momento, sin importar dónde estemos.

Ahora leamos juntos lo que dice la Biblia sobre los discípulos de Jesús en Mateo 28:19, 20; Lucas 6:13-16; Juan 8:31, 32, y 1 Pedro 2:21.

¿Dónde debemos comportarnos como discípulos de Jesús?

CAPÍTULO 14

¿POR QUÉ DEBEMOS PERDONAR?

¿TE HAN hecho algo malo alguna vez?... ¿Te han lastimado o te han dicho alguna cosa desagradable?... ¿Deberías tratar tú de la misma manera a quien te hizo eso?...

Muchas personas se vengan de quienes los tratan mal. Pero Jesús enseñó que debemos perdonar (Mateo 6:12). ¿Qué ocurre si esa persona nos trata mal muchas veces? ¿Cuántas veces tenemos que perdonarla?...

El apóstol Pedro quería saber la respuesta, así que un día le preguntó a Jesús: '¿Tengo que perdonar hasta siete veces?'. Sin embargo, con siete no era suficiente. Jesús le respondió: 'Tienes que perdonar hasta setenta y siete veces' si es necesario.

Este es un número muy alto. Si alguien nos ofendiera tantas veces, no podríamos recordarlas todas, ¿verdad? Eso es lo que Jesús nos estaba enseñando: no debemos llevar la cuenta de todo lo malo que otros nos hagan. Si nos piden perdón, debemos perdonarlos.

¿Qué quiso saber Pedro sobre el perdón?

¿Qué ocurrió cuando el esclavo le suplicó al rey
que le diera más tiempo para pagar su deuda?

Jesús quería demostrar a sus discípulos
que perdonar es muy importante. Por eso,
después de responder a la pregunta de Pedro, les contó una historia. ¿Quieres oírla?...

Había una vez un rey muy bueno,
que incluso les prestaba dinero a sus
esclavos cuando lo necesitaban.
Pero un día quiso que le devolvieran el dinero y llamó a sus esclavos. Uno

¿Cómo trató
el esclavo al
compañero que
no pudo pagarle?

de ellos le debía sesenta millones de monedas, una cantidad enorme.

Pero el esclavo se lo había gastado todo y no tenía con qué devolverlo. Por lo tanto, el rey ordenó que vendieran al esclavo, su esposa, sus hijos y todas sus posesiones. De esa forma, el dinero de la venta serviría para pagar al rey. ¿Cómo crees que se sintió el esclavo?...

De rodillas ante el rey, le suplicó: 'Por favor, dame más tiempo y te pagaré todo lo que te debo'. Si tú hubieras sido el rey, ¿qué habrías hecho?... El rey sintió compasión por el esclavo y lo perdonó. Le dijo que no tenía que devolverle nada, ni una sola moneda de los sesenta millones que le debía. Sin duda, el esclavo debió sentirse muy feliz.

Pero ¿qué hizo el esclavo después? Al salir, se encontró con otro esclavo, que tan solo le debía cien monedas. Lo agarró por el cuello y empezó a ahogarlo, diciendo: '¡Págame ahora mismo las cien monedas que me debes!'. ¿Puedes creer que hiciera algo así, sobre todo después de que el rey le había perdonado tanto a él?...

El esclavo que solo debía cien monedas era pobre. No podía devolver el dinero en ese momento. Por eso, cayó a los pies de su compañero y le pidió: 'Por favor, dame más tiempo y te lo pagaré todo'. ¿Debería el esclavo haberle dado más tiempo a su compañero?... ¿Qué habrías hecho tú?...

Aquel hombre no era bondadoso, como lo había sido el rey. Quiso que le devolvieran su dinero enseguida. Y como su compañero no pudo pagarle, hizo que lo metieran en la cárcel. Otros esclavos vieron lo que ocurrió, y no les gustó. Sintieron pena por el esclavo que estaba en prisión, así que fueron y se lo contaron al rey.

Al rey tampoco le gustó. Se enfadó mucho con el esclavo que no perdonó a su compañero, de modo que lo llamó y le dijo: 'Esclavo malo, ¿no te perdoné yo lo que me debías? ¿Por qué no tuviste compasión de tu compañero?'.

Aquel esclavo malo debería haber aprendido una lección del buen rey. Pero no lo hizo, así que el rey ordenó que lo metieran en la cárcel hasta que devolviera los sesenta millones de monedas que debía. Por supuesto, en la cárcel nunca podría ganar el dinero para pagarle al rey. Se quedaría allí hasta que muriera.

Cuando Jesús terminó de contar su historia, dijo a sus seguidores: "Del mismo modo también tratará mi Padre celestial con ustedes si no perdonan de corazón cada uno a su hermano" (Mateo 18:21-35).

¿Qué hizo el rey
con el esclavo
que no perdonó?

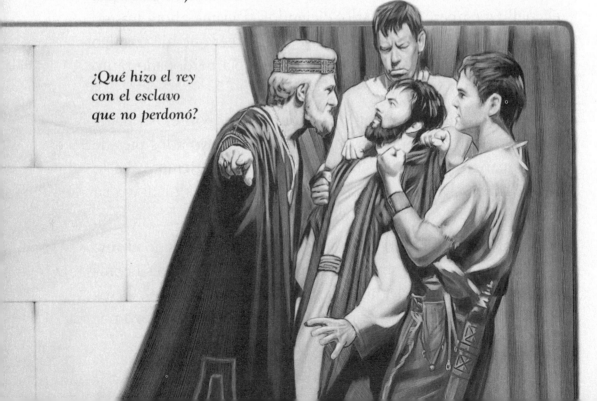

En realidad, todos le debemos mucho a Dios; nuestra propia vida viene de él. Por eso, en comparación con lo que le debemos a él, otras personas nos deben muy poco. Esa deuda es como las cien monedas que le debía el esclavo a su compañero. Pero nuestra deuda con Dios por las cosas malas que hacemos es como los sesenta millones de monedas que el esclavo le debía al rey.

Dios es muy bondadoso. Aunque hayamos hecho cosas malas, él nos perdona. No nos obliga a pagarle quitándonos la vida para siempre. Pero debemos recordar esta lección: *Dios solo nos perdona si perdonamos a las personas que nos hacen cosas malas.* ¿No crees que deberíamos pensar en esto?...

Entonces, si alguien te hace algo malo, pero después dice que lo siente, ¿qué harás? ¿Lo perdonarás?... ¿Qué pasa si esto sucede muchas veces? ¿Seguirás perdonándolo?...

Si estuviéramos en el lugar de la persona que pide disculpas, querríamos que se nos perdonara, ¿no es cierto?... Así que nosotros tenemos que hacer lo mismo. No solo debemos decir que perdonamos, sino perdonar de corazón. De esa forma, demostraremos que de verdad deseamos imitar al Gran Maestro.

Para comprender lo importante que es perdonar, sería bueno leer también Proverbios 19:11; Mateo 6:14, 15, y Lucas 17:3, 4.

¿Qué harás si alguien te pide que lo perdones?

CAPÍTULO 15

UNA LECCIÓN DE BONDAD

¿SABES qué es tener prejuicios?... Pues que no te guste alguien simplemente porque parezca diferente o hable otro idioma. Significa tener antipatía a una persona antes de conocerla.

¿Crees que está bien que no te guste alguien sin siquiera conocerlo o solo porque sea diferente?... No. Tener prejuicios no está bien ni es muestra de bondad. No deberíamos tratar mal a nadie porque sea diferente a nosotros.

Piensa en esto: ¿conoces a alguien que tenga un color de piel diferente al tuyo o que hable otro idioma?... Tal vez hasta conozcas personas que tienen un aspecto diferente a causa de una enfermedad o un accidente. ¿Muestras bondad y amor a los que son diferentes a ti?...

Si escuchamos al Gran Maestro, Jesucristo, seremos bondadosos con todos, sin importar de qué país vengan o de qué color sea su piel. Aunque no todo el mundo cree que debamos ser así, Jesús enseñó una lección sobre este tema. Veamos cuál es.

Un judío que tenía prejuicios se acercó a Jesús y le preguntó: '¿Qué debo hacer para tener la vida eterna?'. Jesús sabía que aquel hombre probablemente quería oír que solo debía mostrar bondad a las personas de su propia raza o país. Por eso, en vez de darle una respuesta, le preguntó: '¿Qué nos dice la ley de Dios que hagamos?'.

El hombre contestó: 'Tienes que amar a Jehová tu Dios con todo tu corazón, y a tu prójimo como a ti mismo'. Jesús le dijo: 'Muy bien. Sigue haciendo esto y tendrás la vida eterna'.

Sin embargo, el hombre no deseaba mostrar bondad ni amor a las personas que eran diferentes a él. Por eso intentó encontrar una excusa y le preguntó a Jesús: "¿Quién, verdaderamente, es mi prójimo?". Tal vez deseaba que Jesús le dijera: "Tu prójimo son tus amigos", o "Son las personas que tienen el mismo aspecto que tú". En respuesta, Jesús relató la siguiente historia sobre un judío y un samaritano, un hombre de otro país.

Un judío bajaba por el camino que va desde la ciudad de Jerusalén hasta Jericó cuando unos ladrones lo asaltaron y le quitaron el dinero y la ropa. Después lo golpearon y lo dejaron medio muerto al lado del camino.

¿Cómo debemos tratar a quienes son diferentes a nosotros?

Poco después, pasó por allí un sacerdote y vio que el hombre estaba gravemente herido. ¿Qué habrías hecho tú?... El sacerdote pasó de largo sin acercarse siquiera. No hizo nada para ayudarlo.

Luego pasó otro hombre muy religioso. Era un levita que servía en el templo de Jerusalén. ¿Se detendría para ayudar al herido?... No. El levita hizo lo mismo que el sacerdote.

Por último, apareció un samaritano. ¿Puedes verlo acercándose por el camino?... El viajero vio que el judío estaba tirado en el suelo, muy lastimado. Lo cierto es que la mayoría de los samaritanos y los judíos no se llevaban bien (Juan 4:9). Así que, ¿se marcharía aquel samaritano sin ayudar al hombre? ¿Pensaría:

"No tengo por qué ayudar a este judío. Él no me ayudaría si yo estuviera herido"?

Bueno, el samaritano miró al hombre que estaba tirado al lado del camino y le dio mucha lástima. No podía dejarlo allí para que muriera. Así que se bajó del animal en el que iba montado, se acercó al judío y comenzó a curarle las heridas con aceite y vino. Después se las vendó.

El samaritano lo subió con cuidado en el animal que llevaba. Entonces siguió el camino lentamente hasta que llegaron a una posada, o pequeño hotel. El samaritano alquiló una habitación para el herido y se encargó de cuidarlo.

Cuando terminó el relato, Jesús le preguntó al hombre con quien hablaba: '¿Quién de estos tres te parece que demostró ser su prójimo?'. ¿Tú qué dirías? ¿Fue el sacerdote, el levita, o el samaritano?...

El hombre contestó: 'Su prójimo fue el que se detuvo y lo ayudó'. Jesús dijo:

¿Cómo demostró ser prójimo del herido el samaritano?

'Tienes razón. Anda y haz tú lo mismo' (Lucas 10:25-37).

¿No es una historia excelente? Nos explica de forma clara quién es nuestro prójimo. No son solo nuestros mejores amigos o las personas que tienen nuestro mismo color de piel o hablan el mismo idioma. Jesús nos enseñó a mostrar bondad a todos, sin importar de dónde sean, qué apariencia tengan o el idioma que hablen.

Jehová es así. No tiene prejuicios. Jesús dijo: 'Su padre que está en el cielo hace que salga el sol sobre buenos y malos, y hace que llueva para justos e injustos'. Así que debemos mostrar bondad a todo el mundo, igual que hace Dios (Mateo 5:44-48).

Por eso, si ves a alguien herido, ¿qué harás?... ¿Y si es de otro país, o el color de su piel es diferente al tuyo? Aun así es tu prójimo, y deberías ayudarle. Si crees que no puedes hacerlo solo, pídele ayuda a un adulto. Puedes llamar a un policía o a un maestro. Eso es ser bondadoso, tal como lo fue el samaritano.

El Gran Maestro quiere que mostremos bondad y que ayudemos a otros, sin importar quiénes sean. Por eso nos contó la historia del buen samaritano.

Aprenderemos más sobre mostrar bondad a otros sin importar su raza o nacionalidad en Proverbios 19:22; Hechos 10:34, 35, y 17:26.

CAPÍTULO 16

¿QUÉ ES LO MÁS IMPORTANTE?

EN CIERTA ocasión, un hombre fue a ver a Jesús, pues sabía que era muy sabio, y le pidió: 'Maestro, dile a mi hermano que divida conmigo la herencia'. El hombre pensaba que él también tenía derecho a ella.

Si tú hubieras sido el Gran Maestro, ¿qué le habrías dicho?... Jesús comprendió que aquel hombre tenía un problema: no era que necesitara parte de la herencia de su hermano, sino que no sabía qué era lo más importante en la vida.

Pensemos en esto: ¿qué debería ser lo más importante para nosotros? ¿Tener los juguetes que nos gustan, ropa nueva y ese tipo de cosas?... No. Jesús quería enseñar la lección de que hay algo mucho más importante. Por eso relató la historia de un hombre que se olvidó de Dios. ¿Te gustaría escucharla?...

¿Qué problema tenía este hombre?

Se trataba de un hombre muy rico que poseía tierras y graneros. Había recogido una gran cosecha y no tenía sitio en sus graneros para guardarla. ¿Qué decidió hacer entonces? Se dijo: 'Derribaré mis graneros viejos y construiré otros más grandes. Así podré guardar toda la cosecha y todos mis bienes en los graneros nuevos'.

El hombre rico pensó que hacerlo así era lo mejor, que era muy inteligente al guardar tantos bienes. Pensó: 'Tengo almacenadas muchas cosas buenas, que me durarán muchos años. Así que ahora puedo tomarme la vida con calma. Voy a comer, beber y divertirme'. Pero su forma de razonar estaba equivocada. ¿Sabes por qué?... Porque solo pensaba en sí mismo y en su propio placer, y se había olvidado de Dios.

¿En qué estaba pensando el rico?

Por ello, Dios habló con él y le dijo: '¡Qué insensato eres! Vas a morir esta noche, y ¿quién tendrá entonces las cosas que guardaste?'. ¿Podía el rico usar esas cosas después de morirse?... No, otras personas se quedarían con ellas. Jesús explicó: "Así pasa con el hombre que atesora para sí, pero no es rico para con Dios" (Lucas 12:13-21).

Tú no quieres ser como aquel rico, ¿verdad?... Para él, lo más importante en la vida era conseguir bienes materiales. Ese fue su error, siempre quería más, pero no era "rico para con Dios".

Muchas personas son como aquel hombre, siempre quieren más. Sin embargo, eso puede causarles muchos problemas. Por ejemplo, tú tienes juguetes, ¿no es así?... ¿Puedes decirme cuáles son?... ¿Qué pasa si alguno de tus amigos tiene una pelota, una muñeca u otro juguete que tú no tienes? ¿Estaría bien que les pidieras a tus padres una y otra vez que te compraran uno igual?...

A veces, un juguete parece algo muy importante. Pero ¿qué pasa con él después de un tiempo?... Se estropea. Tal vez se rompa y entonces ya no lo quieras más. En realidad, tú posees algo mucho más valioso que los juguetes. ¡Sabes qué es?...

¿Qué tienes tú que es mucho más valioso que los juguetes?

La vida. La vida es lo más importante porque sin ella no puedes hacer nada. Pero tu vida depende de que hagas lo que le agrada a Dios, ¿no es cierto?... Por eso no debemos ser como aquel rico insensato que se olvidó de Dios.

Los niños no son los únicos que hacen cosas insensatas como aquel hombre. Muchos adultos también las hacen. Algunos siempre quieren tener más posesiones. Quizás tengan alimento para cada día, ropa que ponerse y un lugar donde vivir. Pero no se conforman: quieren mucha más ropa y casas más grandes. Todo eso cuesta dinero. Así que trabajan mucho para ganarlo, y cuanto más dinero tienen, más quieren tener.

Algunos adultos trabajan tanto para ganar dinero que no les queda tiempo para dedicarlo a su familia ni tampoco a Dios. ¿Puede mantenerlos vivos su dinero?... No. ¿Pueden usar su dinero después de morirse?... No, porque los muertos no pueden hacer nada en absoluto (Eclesiastés 9:5, 10).

¿Significa eso que es malo tener dinero?... No. Con el dinero podemos comprar alimentos y ropa. La Biblia dice que sirve de protección (Eclesiastés 7:12). Pero si amamos el dinero, entonces sí tendremos problemas. Seremos como el hombre rico que guardó tesoros para sí mismo, pero no fue rico para con Dios.

¿Qué quiere decir ser rico para con Dios?... Poner a Dios en primer lugar en la vida. Algunas personas afirman que creen en Dios y piensan que con eso basta. Pero ¿son realmente ricas para con él?... No, son como el rico que se olvidó de Dios.

Jesús nunca se olvidó de su Padre celestial. No intentó ganar mucho dinero ni tuvo muchas cosas materiales. Jesús sabía qué era lo más importante en la vida. ¿Sabes tú qué es?... Ser rico para con Dios.

¿Cómo piensas que podemos ser ricos para con Dios?... Pues haciendo lo que le agrada. Jesús dijo: "Siempre hago las cosas que le agradan" (Juan 8:29). Y eso le gusta a Dios. Ahora, dime,

¿qué puedes hacer tú para agradarle?... Leer la Biblia, ir a las reuniones cristianas, orar a Dios y ayudar a otras personas a que aprendan de él. Esas cosas son las más importantes en la vida.

Jesús era rico para con Dios, y por eso Jehová lo cuidó. Lo recompensó con vida eterna. Si somos como Jesús, Jehová nos amará y nos cuidará también a nosotros. Por lo tanto, imitemos a Jesús, y nunca al hombre rico que se olvidó de Dios.

A continuación aparecen algunos textos bíblicos que nos muestran cómo tener el punto de vista apropiado sobre las cosas materiales: Proverbios 23:4; 28:20; 1 Timoteo 6: 6-10, y Hebreos 13:5.

¿Qué hace esta niña que es importante de verdad?

CAPÍTULO 17

CÓMO SER FELIZ

TODOS queremos ser felices, ¿no es cierto?... Pero no hay muchas personas que lo sean de verdad. ¿Sabes por qué?... Porque no han aprendido el secreto de la felicidad. Piensan que para lograrla hay que tener muchas cosas. Pero cuando las tienen, su felicidad no dura.

El Gran Maestro nos aclaró cuál era este importante secreto: "Hay más felicidad en dar que en recibir" (Hechos 20:35). Entonces, ¿cómo seremos felices?... Dando a otros y haciendo cosas por ellos. ¿Lo sabías?...

Pensemos un poco más en lo que esto significa. ¿Dijo Jesús que la persona que recibiera un regalo no se sentiría feliz?... No, no dijo eso. ¿Verdad que te gusta recibir regalos?... A todo el mundo le gusta. Nos sentimos felices cuando nos dan cosas bonitas.

¿Por qué es Jehová el "Dios feliz"?

¿Qué puede hacerte más feliz que comerte todas las galletas tú solo?

Pero Jesús dijo que sentimos aún más felicidad cuando somos nosotros los que damos. ¿Quién crees tú que es la persona que ha dado más regalos que nadie a los demás?... Claro que sí, Jehová Dios.

La Biblia dice que Dios "da a toda persona vida y aliento y todas las cosas". Nos da la lluvia y la luz del sol para que las plantas crezcan y tengamos alimentos (Hechos 14:17; 17:25). No es de extrañar que la Biblia llame a Jehová el "Dios feliz" (1 Timoteo 1:11). Dar a los demás es una de las cosas que hacen feliz a Dios, y también puede hacernos felices a nosotros.

Pues bien, ¿qué podemos dar a otras personas? ¿Tú qué dirías?... A veces un regalo cuesta dinero. Si es algo que se compra en una tienda, hay que pagarlo. Por eso, si estás pensando en ese tipo de regalo, tienes que ahorrar hasta conseguir suficiente dinero para comprarlo.

Pero no todos los regalos tienen que ser de la tienda. Por ejemplo, un vaso de agua fría viene muy bien en un día caluroso. Si le das ese regalo a una persona que tiene sed, sentirás la felicidad que proviene de dar.

Tal vez un día te diviertas haciendo galletitas con tu mamá. Pero ¿qué te haría más feliz que comértelas todas tú solo?... Regalarle algunas a un amigo o amiga. ¿Te gustaría hacerlo?...

93

¿Qué les está
diciendo Lidia
a Pablo y a Lucas?

¿Por qué se alegra Lidia de recibir
en su casa a Pablo y a Lucas?

Tanto el Gran Maestro como sus apóstoles sintieron la felicidad que proviene de dar. ¿Sabes qué dieron a otras personas?... Lo mejor que existe. Conocían las buenas nuevas, las verdades que habían aprendido acerca de Dios, y con gusto hablaron de ellas sin dejar que nadie les diera dinero a cambio.

En cierta ocasión, el apóstol Pablo y su buen amigo, el discípulo Lucas, conocieron a una mujer que también deseaba sentir la felicidad que hay en dar. La encontraron junto a un río al que fueron porque habían oído que era un lugar donde se oraba a Dios. Y así era; cuando llegaron, encontraron varias mujeres orando.

Pablo comenzó a hablarles a aquellas mujeres sobre las buenas nuevas de Jehová Dios y su Reino. Una de ellas, llamada Lidia, prestó mucha atención. Después, Lidia quiso demostrar su aprecio por las buenas nuevas que acababa de escuchar. Por eso rogó a Pablo y a Lucas: "Si ustedes me han juzgado fiel a Jehová, entren en mi casa y quédense". Y de esa forma los hizo quedarse en su hogar (Hechos 16:13-15).

Lidia estaba encantada de tener a aquellos siervos de Dios en su casa. Los amaba porque la habían ayudado a aprender sobre Jehová y Jesús, y sobre cómo conseguir vida eterna. Se alegraba de poder ofrecer a Pablo y a Lucas comida y un lugar donde descansar. Lidia se sintió feliz al dar porque lo hizo de corazón. Eso es algo que todos debemos recordar. Tal vez alguien nos diga que tenemos que hacer un regalo. Pero si no damos de corazón, no nos sentiremos felices.

Por ejemplo, si tuvieras unas golosinas que te quisieras comer y yo te dijera que le dieras algunas a otro niño, ¿te alegrarías de dárselas?... Pero ¿y si fuera un amigo al que quieres mucho? Si hubiera sido idea tuya compartir las golosinas con tu amigo, ¿no te sentirías feliz?...

A veces amamos tanto a una persona que queremos darle todo lo que tenemos, sin guardarnos nada. Cuando crece nuestro amor por Dios, también queremos darle todo.

¿Por qué se sintió feliz la mujer pobre al dar todo lo que tenía?

El Gran Maestro vio en el templo de Jerusalén a una mujer pobre que quería a Dios de esa manera. Todo lo que ella tenía eran dos moneditas, pero las echó en la caja de contribuciones como regalo para el templo. Nadie la obligó a echarlas, y la mayoría de los que estaban allí ni siquiera la vieron. Lo hizo porque así lo deseaba y porque amaba mucho a Jehová. Se sentía feliz de poder dar (Lucas 21:1-4).

Hay muchas formas de dar. ¿Puedes decirme algunas?... Si damos porque realmente queremos hacerlo, seremos felices. Por esa razón, el Gran Maestro nos manda que seamos generosos (Lucas 6:38). Si le obedecemos, haremos felices a otras personas. Y nosotros seremos más felices todavía.

Leamos algo más sobre la felicidad que sentimos al dar en Mateo 6:1-4; Lucas 14:12-14, y 2 Corintios 9:7.

CAPÍTULO 18

¿TE ACUERDAS DE DAR LAS GRACIAS?

¿YA COMISTE hoy?... ¿Sabes quién preparó la comida?... Tal vez fue tu mamá u otra persona. Entonces, ¿por qué debemos dar las gracias a Dios por la comida?... Porque es él quien hace crecer las plantas de las que obtenemos alimentos. Sin embargo, también deberíamos dar las gracias a quienes nos preparan la comida o la sirven.

A veces nos olvidamos de agradecer a los demás las cosas buenas que hacen por nosotros, ¿no es cierto? Cuando el Gran Maestro estuvo en la Tierra, unos leprosos se olvidaron de dar las gracias.

¿Sabes qué es un leproso?... Es una persona que padece lepra, una enfermedad que puede hacer que la carne se caiga. En tiempos de Jesús, los leprosos debían mantenerse alejados del resto de la gente. Si un leproso veía que se acercaba alguien, tenía que avisarle para que se apartara. De esa forma evitaba que otras personas se contagiaran.

Jesús fue muy bondadoso con los leprosos. En cierta ocasión tuvo que atravesar una aldea de camino hacia Jerusalén. Cuando entró en la aldea, diez leprosos fueron a encontrarse con él. Habían oído que Dios le había dado a Jesús poder para curar toda clase de enfermedades.

Los leprosos no se acercaron a Jesús, se quedaron a cierta distancia. Pero creían que el Gran Maestro podía curarlos.

*¿Qué les dijo Jesús
a los leprosos que hicieran?*

Por eso, cuando lo vieron, gritaron: '¡Jesús, Maestro, ayúdanos!'.

¿Sientes lástima por los enfermos?... Jesús sí la sentía. Sabía lo triste que era ser leproso. Por esa razón les contestó: "Vayan y muéstrense a los sacerdotes" (Lucas 17:11-14).

¿Por qué les dijo Jesús que hicieran eso? Debido a la ley que Jehová le había dado a su pueblo sobre los leprosos. Aquella ley decía que el sacerdote de Dios tenía que examinar la carne del leproso y decirle si había desaparecido la enfermedad. Cuando quedaba curado, podía volver a vivir con las personas sanas (Levítico 13:16, 17).

Pero aquellos leprosos seguían enfermos. Así que, ¿irían a ver al sacerdote tal como les había dicho Jesús?... Sí, fueron enseguida. Sin duda creyeron que Jesús los curaría. ¿Qué ocurrió entonces?

Mientras iban de camino a ver al sacerdote, la enfermedad desapareció. Su carne sanó y quedaron curados. Fue su recompensa por creer en el poder de Jesús. ¡Qué alegría sintieron! Pero ¿qué deberían haber hecho para mostrar su agradecimiento? ¿Qué habrías hecho tú?...

Uno de los hombres curados volvió a donde estaba Jesús y comenzó a glorificar a Jehová, a decir cosas buenas de él. Eso era lo que debía hacer, porque el poder para curarlo había venido de Dios. Además, el hombre cayó a los pies del Gran Maestro y le dio las gracias. Se sentía muy agradecido por lo que Jesús había hecho.

¿Qué se acordó de hacer este leproso?

Pero ¿y los otros nueve hombres? Jesús preguntó: '¿No fueron curados diez leprosos? ¿Dónde están los otros nueve? ¿Solo regresó uno a darle gloria a Dios?'.

Sí, es cierto. Solo uno de los diez glorificó, o alabó, a Dios y volvió para darle las gracias a Jesús. Era un samaritano, un hombre de otro país. Los otros nueve no le dieron las gracias a Dios ni tampoco a Jesús (Lucas 17:15-19).

¿Cómo puedes tú imitar al leproso que volvió a donde estaba Jesús?

¿A cuál de aquellos hombres te pareces? ¿Verdad que queremos ser como el samaritano?... Por eso, cuando alguien hace cosas buenas por nosotros, ¿de qué debemos acordarnos?... De darle las gracias. Aunque la gente suele olvidarse, es bueno que demos las gracias, pues eso alegra a Jehová Dios y a su Hijo, Jesús.

Si lo piensas, te darás cuenta de que otras personas han hecho muchas cosas por ti. Por ejemplo, ¿has estado enfermo alguna vez?... Quizás no hayas estado nunca tan enfermo como aquellos diez leprosos, pero es posible que hayas tenido un resfriado fuerte o un dolor de estómago. ¿Te cuidó alguien?... Tal vez te dieron alguna medicina y te atendieron. ¿Te alegraste de que te ayudaran a ponerte bien?...

El samaritano dio las gracias a Jesús por curarlo, y eso alegró a Jesús. ¿Crees que tu mamá o tu papá se alegrarán si les das las gracias cuando hacen cosas por ti?... Claro que sí.

Hay gente que hace cosas por ti todos los días o todas las semanas. Puede que ese sea su trabajo y que incluso les guste hacerlo. Pero es posible que tú te olvides de darles las gracias. Tal vez tu maestra se esfuerce por enseñarte. Ese es su trabajo, pero sin duda se alegrará de que tú le des las gracias por ello.

A veces, otras personas nos hacen pequeños favores. ¿Te han sujetado alguna vez la puerta para que pases? ¿O te han alcanzado la comida en la mesa? Sería bueno que dieras las gracias incluso por esas cosas pequeñas.

Si nos acordamos de dar las gracias a las personas que nos rodean, nos resultará más fácil acordarnos de dárselas a nuestro Padre celestial. ¡Y cuántas cosas podemos agradecerle! Nos dio la vida y todo

¿Por qué es importante acordarse de dar las gracias?

lo que la hace agradable. Por eso, tenemos muchísimas razones para glorificar a Dios todos los días diciendo cosas buenas de él.

Veamos lo que dicen los siguientes versículos respecto a dar las gracias: Salmo 92:1; Efesios 5:20; Colosenses 3:17, y 1 Tesalonicenses 5:18.

CAPÍTULO 19

¿ESTÁ BIEN PELEARSE?

¿CONOCES a niños que se crean los más fuertes y siempre busquen pelea?... ¿Te gusta estar con ellos? ¿O prefieres estar con los que son amables y pacíficos?... El Gran Maestro dijo: "Felices son los pacíficos, puesto que a ellos se les llamará 'hijos de Dios'" (Mateo 5:9).

Pero a veces, otras personas hacen cosas que nos enojan, ¿no es cierto?... Por eso, en ocasiones nos gustaría vengarnos. A los discípulos de Jesús les ocurrió algo así cuando viajaban con él hacia Jerusalén. Voy a contarte qué sucedió.

Cuando ya habían recorrido parte del camino, Jesús envió a varios discípulos a una aldea de Samaria para que buscaran un sitio donde pasar la noche. Pero la gente de la aldea no quería que se quedaran allí, ya que tenían una religión diferente. Además, a los samaritanos no les caían bien los que iban a la ciudad de Jerusalén para adorar a Dios.

¿Qué querían hacer Santiago y Juan para vengarse de los samaritanos?

Si eso te hubiera ocurrido a ti, ¿qué habrías hecho? ¿Te habrías enojado? ¿Habrías querido vengarte?... Eso es lo que los discípulos Santiago y Juan quisieron hacer. Le dijeron a Jesús: '¿Quieres que pidamos que baje fuego del cielo y los destruya?'. No nos sorprende que Jesús los llamara Hijos del Trueno. Jesús les respondió que no estaba bien que trataran a los demás de esa forma (Lucas 9:51-56; Marcos 3:17).

Es cierto que a veces la gente se porta mal con nosotros. Tal vez otros niños no te dejen jugar con ellos. Hasta puede que te digan: "No te queremos por aquí". Cuando pasa algo así, ¿verdad que nos sentimos mal? Quizás nos den ganas de desquitarnos. Pero ¿deberíamos hacerlo?...

¿Por qué no buscas tu Biblia? Vamos a leer Proverbios, capítulo 24, versículo 29. Allí aconseja: "No digas: 'Tal como me hizo, así voy a hacerle a él. Le pagaré a cada uno según actúe'".

¿Qué significan para ti esas palabras?... Quieren decir que no debemos pagar con la misma moneda. No debemos portarnos mal con alguien porque esa persona se haya portado mal con nosotros. Pero ¿y si alguien busca pelea contigo? Puede que te insulte para hacerte enfadar o se ría de ti y diga que tienes miedo. Imagínate que te llama cobarde. ¿Qué deberías hacer? ¿Deberías responderle y pelear?...

Veamos de nuevo lo que dice la Biblia. Busca Mateo, capítulo 5, versículo 39. Jesús nos recomienda: "No resistan al que es inicuo; antes bien, al que te dé una bofetada en la mejilla derecha, vuélvele también la otra". ¿Qué crees que quiso decir Jesús con esas palabras? ¿Que si alguien te da un puñetazo en un lado de la cara tienes que dejarle que te golpee también en el otro lado?...

No, no era eso lo que Jesús quiso decir. Una bofetada no es como un puñetazo. Se parece más a un empujón. Quien nos da una bofetada o un empujón seguramente busca pelea. Quiere que nos enojemos. Y si nos enojamos y también lo empujamos, ¿qué sucederá?... Es probable que acabemos peleándonos.

Pero Jesús no quería que sus seguidores pelearan. Por eso dijo que si alguien nos da una bofetada, no debemos devolvérsela. No debemos enojarnos ni pelear. Si lo hiciéramos, estaríamos demostrando que somos iguales que la persona que comenzó la pelea.

¿Qué debemos hacer si alguien busca pelea con nosotros?

Si surgen problemas, ¿qué crees que es lo mejor que se puede hacer?... Lo mejor es marcharse. Quizás la otra persona te empuje alguna vez más. Pero probablemente ahí quede todo. Marchándote no demuestras que eres débil, sino que eres fuerte, porque se necesita fortaleza para hacer lo que está bien.

Pero ¿qué sucederá si acabas peleándote y eres tú quien gana? ¿Qué podría ocurrir después?... El que perdió tal vez vuelva con sus amigos, y puede que incluso te lastime con un palo o una navaja. ¿Entiendes ahora por qué Jesús no quería que peleáramos?...

¿Qué deberíamos hacer si vemos que otras personas se están peleando? ¿Deberíamos ponernos de parte de alguna de ellas?... La Biblia nos aconseja qué hacer. Busquemos Proverbios, capítulo 26, versículo 17. Allí dice: "Como quien agarra por las orejas a un perro es cualquiera que, al pasar, se enfurece por la riña que no es suya".

¿Qué ocurriría si agarraras a un perro por las orejas? Le dolería y querría atacarte, ¿verdad? Cuanto más tratara de soltarse el perro, más fuerte tendrías que agarrarlo y más nervioso se pondría. Y si lo dejaras ir, probablemente te mordería con fuerza. Pero ¿puedes quedarte agarrándolo por las orejas toda la vida?...

Pues si vemos una pelea y nos metemos en ella, nos buscaremos un problema como ese. Puede que no sepamos quién empezó la pelea ni por qué están peleando. Quizás la persona que está recibiendo

¿Por qué meterse en las peleas de otras personas es como agarrar a un perro por las orejas? Porque saldrías lastimado, así que no lo hagas

105

golpes robó algo y por eso le están pegando. Si la ayudamos, estaremos ayudando a un ladrón. Y eso no estaría bien, ¿verdad?

Por eso, ¿qué debes hacer cuando veas una pelea?... Si es en la escuela, puedes correr a decírselo a un maestro. Y si es fuera de la escuela, puedes llamar a tus padres o a un policía. Aunque otras personas quieran pelear, nosotros debemos ser pacíficos.

Los verdaderos discípulos de Jesús hacemos todo lo posible por evitar las peleas. De esa forma demostramos que somos lo suficientemente fuertes como para hacer lo que está bien. La Biblia dice que el discípulo de Jesús "no tiene necesidad de pelear, sino de ser amable para con todos" (2 Timoteo 2:24).

Vamos a buscar ahora más consejos que nos ayudan a evitar las peleas: Romanos 12:17-21 y 1 Pedro 3:10, 11.

¿Qué debes hacer si ves una pelea?

CAPÍTULO 20

¿BUSCAS SIEMPRE EL PRIMER LUGAR?

¿CONOCES a alguien que siempre quiera el primer lugar?... Tal vez empuje a otros para ser el primero de la cola. ¿Has visto eso alguna vez?... El Gran Maestro incluso vio a adultos tratando de conseguir los mejores sitios o los más importantes, y no le gustó. Veamos lo que ocurrió.

La Biblia nos cuenta que un fariseo, un importante líder religioso, invitó a Jesús a un banquete en su casa. Cuando Jesús llegó, observó cómo otros invitados entraban y elegían los mejores lugares. Por eso, quiso enseñar una lección a todos los que estaban allí usando una ilustración. ¿Te gustaría oírla?...

¿Has visto a personas tratando de ser las primeras?

Jesús dijo: 'Cuando alguien te invite a un banquete de bodas, no escojas el mejor sitio'. ¿Sabes por qué dijo aquello?... Él explicó que quizás haya algún invitado más importante. Entonces, como ves en la lámina, el dueño de la casa puede venir y decir: 'Deja que este hombre ocupe ese lugar, y tú vete allí'. ¿Cómo se sentiría el invitado?... Avergonzado de que todo el mundo lo viera cambiarse a un sitio menos importante.

Jesús deseaba mostrarles que no está bien querer ocupar el sitio más importante. Les dijo: 'Cuando alguien te invite a un banquete de bodas, busca el último puesto. Así, cuando llegue el que te invitó, te dirá: "Amigo, ven a este lugar mejor". De esa manera, recibirás honra delante de los demás invitados cuando te cambien a un lugar mejor' (Lucas 14:1, 7-11).

¿Comprendes qué quiso enseñar Jesús con esa ilustración?... Pongamos un ejemplo para ver si lo entendiste. Imagínate que te subes a un autobús lleno de gente. ¿Deberías apresurarte a ocupar un asiento y dejar que una persona mayor se quede de pie?... ¿Le gustaría a Jesús que hicieras eso?...

Quizás alguien diga que a Jesús le da lo mismo. Pero ¿crees que es así?... Cuando Jesús estaba en aquel banquete en casa del fariseo, observó cómo la gente escogía los asientos. ¿No crees que está igual de interesado en lo que hacemos nosotros?... Ahora que Jesús está en el cielo, sin duda puede observarnos bien.

Cuando alguien intenta ser el primero, pueden surgir problemas. Con frecuencia, los demás empiezan a discutir con él y se enfadan. A veces sucede esto cuando los niños viajan juntos en el autobús. Tan pronto como se abren las puertas, corren para ser los primeros en subirse. Quieren los mejores asientos, los que están junto a las ventanillas. ¿Qué puede ocurrir entonces?... Que se enojen unos con otros.

Sin duda, el deseo de ser siempre el primero puede causar muchos problemas. Así les sucedió incluso a los apóstoles de Jesús. Como aprendimos en el capítulo 6, ellos discutieron sobre quién era el más importante. ¿Qué hizo Jesús?... Los corrigió. Pero después tuvieron otra discusión. Veamos cómo empezó todo.

Los apóstoles y otros discípulos viajaban con Jesús hacia la ciudad

¿Qué lección estaba enseñando Jesús cuando habló de los que ocupaban los mejores lugares?

de Jerusalén por última vez. Jesús les había hablado sobre su Reino, y Santiago y Juan habían estado pensando en el hecho de que serían reyes junto con él. Hasta habían hablado de ello con su madre, Salomé (Mateo 27:56; Marcos 15:40). Por eso, cuando iban de camino a Jerusalén, Salomé se acercó a Jesús, se inclinó ante él y le pidió un favor.

"¿Qué quieres?", le preguntó Jesús. Ella le contestó que le gustaría que permitiera a sus hijos sentarse al lado de él en el Reino, uno a la derecha y otro a la izquierda. Cuando los otros diez apóstoles se enteraron de lo que Santiago y Juan habían hecho que su madre pidiera, ¿cómo crees que se sintieron?...

Pues sí, se enfadaron mucho con Santiago y con Juan. Por lo tanto, Jesús les dio a todos sus apóstoles un buen consejo. Les ex-

¿Qué le pidió Salomé a Jesús, y cuál fue el resultado?

plicó que a los gobernantes de las naciones les gusta ser poderosos e importantes. Quieren un puesto alto para que todos les obedezcan. Pero Jesús les dijo a sus seguidores que ellos no debían comportarse así, sino que 'el que quisiera ser el primero entre ellos tenía que ser esclavo de ellos'. Piensa en eso (Mateo 20:20-28).

¿Sabes qué hace un esclavo?... Sirve a otros, no espera que le sirvan a él. Ocupa el último lugar, no el primero. No se comporta como el más importante, sino como el menos importante. Y no olvides que Jesús dijo que quien quisiera ser el primero debía comportarse como esclavo de los demás.

Entonces, ¿qué crees que eso significa para nosotros?... ¿Discutiría un esclavo con su amo sobre quién de los dos ocuparía el mejor asiento? ¿O sobre quién iba a comer primero? ¿Tú qué piensas?... Jesús explicó que un esclavo siempre pone a su amo en primer lugar (Lucas 17:7-10).

Por eso, en vez de tratar de ser los primeros, ¿qué deberíamos hacer?... Sí, comportarnos como esclavos de otros. Eso significa que debemos ponerlos en primer lugar y pensar que ellos son más importantes que nosotros. ¿De qué maneras se te ocurre que puedes poner a los demás en primer lugar?... ¿Por qué no vuelves a las páginas 40 y 41 para repasar cómo puedes servir a otros, y ponerlos así en primer lugar?

Recordarás que el Gran Maestro puso a otros en primer lugar sirviéndoles. La última noche que pasó con sus apóstoles, incluso se agachó y les lavó los pies. Si nosotros también ponemos a los demás en primer lugar sirviéndoles, agradaremos tanto al Gran Maestro como a su Padre, Jehová Dios.

Leamos otros textos bíblicos que nos animan a poner a los demás en primer lugar: Lucas 9:48; Romanos 12:3, y Filipenses 2:3, 4.

CAPÍTULO 21

¿TENEMOS MOTIVOS PARA PRESUMIR?

¿QUÉ significa presumir? ¿Lo sabes?... Veamos un ejemplo. ¿Has intentado hacer algo aunque no te salga muy bien? ¿Quizás dar una patada a un balón de fútbol o saltar a la cuerda? ¿Se burló alguien de ti y te dijo: "Yo lo hago mejor que tú"?... En ese caso, la persona estaba presumiendo.

¿Cómo te sientes cuando otros hacen algo así? ¿Te gusta?... Entonces, ¿cómo crees que se sentirán los demás si eres tú quien presume?... ¿Está bien decirle a alguien: "Yo soy mejor que tú"?... ¿Le gustan a Jehová las personas que dicen eso?...

El Gran Maestro conoció a personas que se creían mejores que nadie. Presumían de sí mismas y despreciaban a todo el mundo. Por eso, en cierta ocasión Jesús les relató una historia que demostraba lo malo que era sentirse superior a los demás. Vamos a escucharla.

La historia trata de un fariseo y de un recaudador de impuestos. Los fariseos eran maestros religiosos que a menudo se comportaban como si fueran más justos que otras personas. El fariseo de la historia de Jesús subió al templo de Dios en Jerusalén para orar.

Jesús contó que un recaudador de impuestos también subió al templo a orar. A la mayoría de la gente no le gustaban los recaudadores, pues pensaban que trataban de estafarlos. Y lo cierto es que muchos recaudadores de impuestos no siempre eran honrados.

En el templo, el fariseo comenzó su oración a Dios de esta forma: 'Oh Dios, te doy las gracias porque no soy un pecador como los demás. No le robo a la gente ni hago otras cosas malas. No soy como ese recaudador de impuestos de ahí. Soy un hombre justo. Dejo de comer dos veces a la semana para tener más tiempo para pensar en ti. Y le doy al templo una décima parte de todo lo que gano'. Aquel fariseo realmente se creía mejor que otras personas, ¿no es cierto?... Y además se lo dijo a Dios.

Pero el recaudador de impuestos no era así. Ni siquiera levantó los ojos hacia el cielo para orar. Se mantuvo de pie a cierta distancia con la cabeza inclinada. Estaba muy arrepentido de sus pecados y se daba golpes en el pecho para demostrar su dolor. No intentó decirle a Dios lo bueno que era. Más bien, le pidió: 'Oh Dios, sé bondadoso conmigo, que soy pecador'.

¿Por qué le agradó a Dios el recaudador de impuestos, pero no el fariseo?

¿Cuál de estos dos hombres crees que estaba agradando a Dios? ¿El fariseo, que se creía tan bueno? ¿O el recaudador de impuestos, que estaba arrepentido de sus pecados?...

Jesús dijo que fue el recaudador de impuestos quien agradó a Dios. ¿Por qué? Jesús explicó que todo el que trata de parecer mejor que los demás quedará en vergüenza, pero el que es humilde recibirá honra (Lucas 18:9-14).

¿Qué lección estaba enseñando Jesús con esta historia?... Mostró que está mal pensar que somos mejores que otros. Tal vez no lo digamos, pero nuestra forma de actuar puede demostrar que lo creemos. ¿Te has comportado alguna vez de esa manera?... Piensa en lo que le ocurrió al apóstol Pedro.

Cuando Jesús les dijo a sus apóstoles que todos lo abandonarían cuando fuera arrestado, Pedro respondió muy orgulloso: '*¡Aunque todos los demás te abandonen, yo nunca lo haré!*'. Pero Pedro se equivocaba. Estaba demasiado seguro de sí mismo. Él sí abandonó a Jesús. Sin embargo, después volvió, como veremos en el capítulo 30 de este libro (Mateo 26:31-33).

Tomemos un ejemplo de nuestros días. Quizás a un compañero de clase y a ti les hagan algunas preguntas en la escuela. ¿Qué pasaría si tú respondieras rápidamente, pero tu compañero no? Por supuesto, saber las respuestas haría que te sintieras bien. Pero ¿sería justo que te creyeras mejor que el niño que tardó en responder?... ¿Estaría bien que intentaras llamar la atención avergonzando al otro niño?...

Eso fue lo que hizo el fariseo. Presumió de ser mejor que el recaudador de impuestos. Pero el Gran Maestro dijo que el fariseo estaba equivocado. Aunque hagamos algunas cosas mejor que otras personas, eso no significa que seamos mejores que ellas.

Por eso, si sabemos más que otra persona, ¿es esa una buena razón para presumir?... Piensa en esto: ¿hemos creado nosotros nuestro cerebro?... No, Dios nos lo ha dado. Y la mayoría de las cosas que sabemos las aprendimos de los demás. Tal vez las leímos en un libro o alguien nos las enseñó. Aunque descubramos algunas por nosotros mismos, ¿cómo lo logramos?... Utilizando el cerebro que Dios nos dio.

¿Eres mejor persona por saber más que otros?

Cuando alguien se esfuerza mucho, es bueno que le digas algo que lo anime. Dile que te gustó lo que hizo. Quizás puedas ayudarlo a hacerlo mejor. ¿No te gustaría que otros hicieran eso por ti?...

Algunas personas son más fuertes que otras. ¿Qué hay si tú eres más fuerte que tu hermano o tu hermana? ¿Es motivo para que presumas de ello?... No, no lo es. Lo que nos hace fuertes son los alimentos que comemos. Y Dios nos da la luz del sol, la lluvia y todo lo necesario para que crezcan las plantas y tengamos alimentos, ¿verdad?... Por eso, si somos fuertes, debemos dar las gracias a Dios (Hechos 14:16, 17).

¿Por qué no es bueno presumir de ser más fuertes que los demás?

A nadie le gusta oír a los que hablan con orgullo de sí mismos, ¿no es cierto?... Recordemos las palabras de Jesús: 'Así como quieren que otras personas les hagan a ustedes, háganles de igual manera a ellas'. Si cumplimos ese mandato, nunca seremos como el fariseo que se sentía orgulloso de sí mismo en la historia que relató el Gran Maestro (Lucas 6:31).

En cierta ocasión, alguien llamó bueno a Jesús. ¿Afirmó el Gran Maestro: "Sí, soy bueno"?... No, no lo hizo. En vez de eso, dijo: "Nadie es bueno, sino uno solo, Dios" (Marcos 10:18). Aunque el Gran Maestro era perfecto, no presumió. Más bien, dio toda la alabanza a su Padre, Jehová.

Entonces, ¿hay alguien de quien podamos presumir o sentirnos orgullosos?... Sí, lo hay. Podemos sentirnos orgullosos de nuestro Creador, Jehová Dios. Cuando vemos un hermoso atardecer u otra maravilla de la creación, podemos decir a los demás: "¡Nuestro gran Dios, Jehová, lo creó!". Que siempre estemos dispuestos a hablar de las cosas maravillosas que Jehová hizo en el pasado y hará en el futuro.

Vamos a ver lo que dicen las Escrituras sobre presumir o ser orgullosos, y aprenderemos por qué debemos evitarlo. Leamos Proverbios 16:5, 18; Jeremías 9:23, 24; 1 Corintios 4:7, y 13:4.

¿De quién está orgulloso este niño?

CAPÍTULO 22

¿POR QUÉ NO DEBEMOS MENTIR?

IMAGÍNATE que una niña le dice a su madre: "Cuando salga de la escuela, vengo enseguida a casa". Pero luego se queda a jugar con sus amigas y al volver explica: "La maestra me hizo quedarme después de clase". ¿Estaría bien que dijera algo así?...

O supongamos que un niño le asegura a su padre: "No, papá, no jugué a la pelota dentro de la casa", pero en realidad sí lo hizo. ¿Estaría mal que dijera que no?...

El Gran Maestro nos enseñó cómo debíamos comportarnos cuando dijo: 'Que su palabra *Sí* signifique Sí y su *No*, No; porque cualquier otra cosa proviene del inicuo' (Mateo 5:37). ¿Qué quiso dar a entender Jesús con aquellas palabras?... Que debemos hacer lo que decimos.

En la Biblia hay una historia que demuestra lo importante que es decir la verdad. Habla de dos personas que afirmaban ser discípulos de Jesús. Veamos lo que ocurrió.

¿Qué ha hecho este niño que está mal?

Menos de dos meses después de la muerte de Jesús, muchas personas de lugares lejanos llegaron a Jerusalén para celebrar una fiesta importante de los judíos conocida como Pentecostés. El apóstol Pedro pronunció un discurso extraordinario en el que habló a la gente de Jesús y les contó que Jehová lo había resucitado. Aquella fue la primera vez que muchos de los que habían ido a Jerusalén oyeron hablar de Jesús. Entonces quisieron saber más. Por eso, ¿qué hicieron?

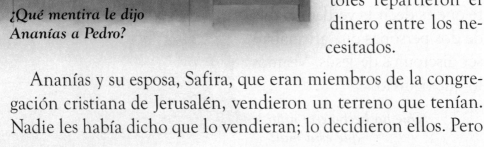

Se quedaron en la ciudad más tiempo del que habían planeado. Pero a algunos se les terminó el dinero y no podían comprar alimentos. Los discípulos de Jerusalén quisieron ayudar a los visitantes, así que muchos de ellos vendieron algunas de sus cosas y entregaron el dinero a los apóstoles de Jesús. Entonces, los apóstoles repartieron el dinero entre los necesitados.

¿Qué mentira le dijo Ananías a Pedro?

Ananías y su esposa, Safira, que eran miembros de la congregación cristiana de Jerusalén, vendieron un terreno que tenían. Nadie les había dicho que lo vendieran; lo decidieron ellos. Pero no lo hicieron porque amaran a los nuevos discípulos de Jesús. En verdad, Ananías y Safira querían que la gente creyera que ellos eran mejores de lo que realmente eran. Por eso, se pusieron de acuerdo para decir que iban a dar todo el dinero de la venta para ayudar a otras personas. Solo pensaban dar una parte, pero dirían que lo habían dado todo. ¿Tú qué opinas de eso?...

Bueno, Ananías fue a ver a los apóstoles y les dio el dinero. Por supuesto, Dios sabía que no lo estaba dando todo, así que le reveló al apóstol Pedro que Ananías no estaba diciendo la verdad.

Pedro dijo entonces: 'Ananías, ¿por qué te has dejado llevar por Satanás? El terreno era tuyo. No tenías que venderlo. Y, aun después de venderlo, lo que hicieras con el dinero era cosa tuya. ¿Por qué finges dar todo el dinero si solo has dado una parte de él? Haciendo eso no solo nos mientes a nosotros, sino también a Dios'.

El asunto era así de serio. Ananías estaba mintiendo. No estaba haciendo lo que decía; solo lo fingía. La Biblia nos dice lo que ocurrió a continuación: 'Al oír las palabras de Pedro, Ananías cayó muerto'. Dios hizo que Ananías muriera. Después, se llevaron su cuerpo y lo enterraron.

¿Qué le sucedió a Ananías por mentir?

Unas tres horas más tarde llegó Safira. Como ella no sabía lo que le había ocurrido a su esposo, Pedro le preguntó: '¿Vendieron ustedes el terreno por la cantidad de dinero que nos dieron?'.

Safira contestó: 'Sí, lo vendimos justo por esa cantidad'. Pero era mentira. Se habían quedado con parte del dinero de la venta del terreno. Por tal razón, Dios también hizo que Safira muriera (Hechos 5:1-11).

¿Qué aprendemos de lo que les ocurrió a Ananías y Safira?... Que a Dios no le gustan los mentirosos. Él quiere que siempre digamos la verdad. Pero muchas personas piensan que no es malo decir mentiras. ¿Crees que tienen razón?... ¿Sabías que todas las enfermedades, el dolor y la muerte que sufrimos los humanos son el resultado de una mentira?...

Recuerda que el Diablo engañó a la primera mujer, Eva. Le dijo que no moriría si desobedecía a Dios y comía el fruto que Él le había prohibido comer. Eva creyó al Diablo y comió del árbol. Luego convenció a Adán para que también comiera, y de esa forma, ambos se volvieron pecadores. Ahora todos sus hijos nacerían pecadores y, debido a eso, sufrirían y morirían. ¿Cómo comenzó el problema?... Todo comenzó con una mentira.

Ya vemos por qué Jesús dijo que el Diablo 'es un mentiroso y el padre de la mentira', pues él fue el primero que dijo una mentira. Cuando alguien miente, está haciendo lo mismo que hizo el Diablo. De-

Según Jesús, ¿quién dijo la primera mentira? ¿Cuál fue el resultado?

120

beríamos pensar en esto si alguna vez sentimos la tentación de decir una mentira (Juan 8:44).

¿Cuándo podrías sentir la tentación de mentir?... ¿Verdad que es cuando haces algo malo?... Tal vez hayas roto algo sin querer. Si te preguntan, ¿deberías decir que uno de tus hermanos lo hizo? ¿O fingir quizás que no sabes cómo ocurrió?...

¿Y si tenías que hacer los deberes escolares, pero no los acabaste? ¿Deberías decir que los hiciste todos, aunque no fuera verdad?... Recordemos a Ananías y Safira. No dijeron toda la verdad, y Dios mostró lo malo que era eso haciendo que murieran.

¿Cuándo podrías sentir la tentación de mentir?

Por lo tanto, sin importar lo que hayamos hecho, la situación siempre será peor si mentimos. Ni siquiera debemos decir verdades a medias. La Biblia nos manda que 'hablemos la verdad' y que 'no estemos mintiéndonos unos a otros'. Jehová siempre dice la verdad y espera que nosotros hagamos lo mismo (Efesios 4:25; Colosenses 3:9).

Siempre debemos decir la verdad. Así se indica en Éxodo 20:16; Proverbios 6:16-19; 12:19; 14:5; 16:6, y Hebreos 4:13.

CAPÍTULO 23

¿POR QUÉ NOS ENFERMAMOS?

¿CONOCES a alguien que esté enfermo?... Es probable que tú mismo te enfermes a veces. Quizás te resfríes o te duela el estómago. Algunas personas están muy enfermas. Ni siquiera pueden ponerse de pie sin ayuda, sobre todo si son muy mayores.

Todo el mundo cae enfermo de vez en cuando. ¿Sabes por qué la gente se enferma, envejece y muere?... Jesús mostró el motivo en cierta ocasión en la que le llevaron a un hombre que no podía andar. Voy a contarte lo que pasó.

Jesús se estaba quedando en una casa de una ciudad cercana al mar de Galilea, y una muchedumbre fue a verlo. Eran tantas personas, que llenaron la casa. Nadie podía acercarse ni siquiera a la puerta. Pero seguía llegando gente. Un grupo de personas trajo a un hombre que tenía parálisis y no podía ni caminar. Lo tenían que llevar en camilla entre cuatro hombres.

¿Sabes por qué quisieron llevar al enfermo a donde estaba Jesús?... Porque tenían fe en que Jesús podía ayudarlo, en que le podía curar su enfermedad. Pero con la casa tan llena, ¿cómo crees que lograron acercar el paralítico a Jesús?...

Bueno, en la ilustración puedes ver cómo lo hicieron. En primer lugar, subieron al hombre al techo, que era plano. Entonces, hicieron en él un gran agujero. Por último, bajaron al

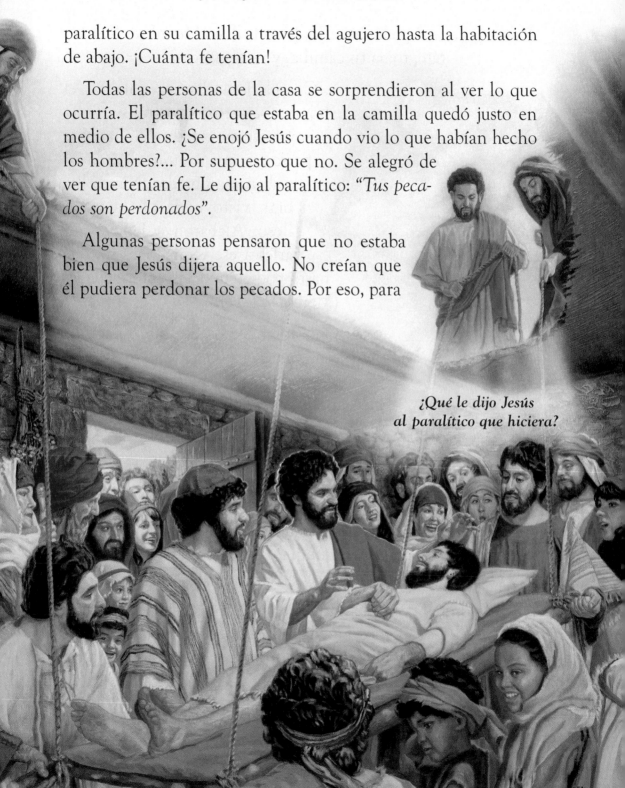

paralítico en su camilla a través del agujero hasta la habitación de abajo. ¡Cuánta fe tenían!

Todas las personas de la casa se sorprendieron al ver lo que ocurría. El paralítico que estaba en la camilla quedó justo en medio de ellos. ¿Se enojó Jesús cuando vio lo que habían hecho los hombres?... Por supuesto que no. Se alegró de ver que tenían fe. Le dijo al paralítico: *"Tus pecados son perdonados"*.

Algunas personas pensaron que no estaba bien que Jesús dijera aquello. No creían que él pudiera perdonar los pecados. Por eso, para

¿Qué le dijo Jesús al paralítico que hiciera?

demostrar que sí podía hacerlo, Jesús le dijo al hombre: "Levántate, toma tu camilla, y vete a tu casa".

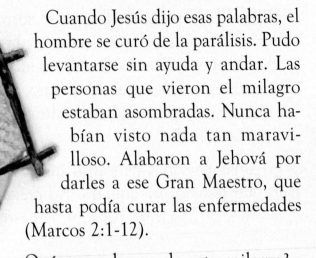

Cuando Jesús dijo esas palabras, el hombre se curó de la parálisis. Pudo levantarse sin ayuda y andar. Las personas que vieron el milagro estaban asombradas. Nunca habían visto nada tan maravilloso. Alabaron a Jehová por darles a ese Gran Maestro, que hasta podía curar las enfermedades (Marcos 2:1-12).

¿Qué aprendemos de este milagro?

¿Qué aprendemos de este milagro?... Que Jesús tiene el poder de perdonar los pecados y curar a los enfermos. Pero también aprendemos otra cosa muy importante: *que nos enfermamos debido al pecado.*

Puesto que todos nos ponemos enfermos alguna vez, ¿quiere decir eso que todos somos pecadores?... Sí, la Biblia dice que todos nacemos en pecado. ¿Sabes lo que significa nacer en pecado?... Significa que cuando nacemos ya somos imperfectos. A veces hacemos las cosas mal aunque no queramos. Pero ¿por qué nos convertimos todos en pecadores?...

Fue porque el primer hombre, Adán, pecó al desobedecer la ley de Dios. Y todos heredamos el pecado de Adán. ¿Sabes cómo? Intentaré explicártelo de forma que lo puedas entender.

Quizás hayas visto a alguien hacer pan en un molde. ¿Qué le ocurrirá al pan si hay alguna abolladura en el molde? ¿Te lo

imaginas?... Cualquier pan que hagas con el molde saldrá con
la marca de esa abolladura,
¿verdad?...

Adán fue como el mol-
de, y nosotros somos como el pan.
Al desobedecer la ley de Dios, Adán
se volvió imperfecto. Fue como si desde entonces tuviera una abolladura, o
marca de imperfección. Por eso, cuando
le nacieran hijos, ¿cómo serían?... Todos
tendrían esa misma marca de imperfección.

*¿Cómo nos convertimos
todos en pecadores?*

La mayoría de los niños no nacen con imperfecciones que se
noten a simple vista. No les falta un brazo ni una pierna. Pero
la imperfección que tienen es lo suficientemente grave como
para que se enfermen y, con el tiempo, mueran.

Sin embargo, algunas personas se enferman más que otras.
¿Por qué sucede esto? ¿Es porque nacen más pecadoras?... No,
todo el mundo nace igual de pecador. Todos nacemos imperfectos y, por eso, tarde o temprano, padecemos alguna enfermedad.
Incluso quienes tratan de obedecer todas las leyes de Dios y
no hacen nada realmente malo se ponen enfermos.

Entonces, ¿por qué algunos se enferman más que otros?...
Por muchas razones. Puede que no tengan suficientes alimentos
o que estos no sean nutritivos. Quizás coman muchos dulces
y golosinas. Otra razón puede ser que se acuesten muy tarde y
no duerman lo suficiente. Tal vez no se abriguen bien cuando
hace frío. Algunas personas tienen el cuerpo muy debilitado,

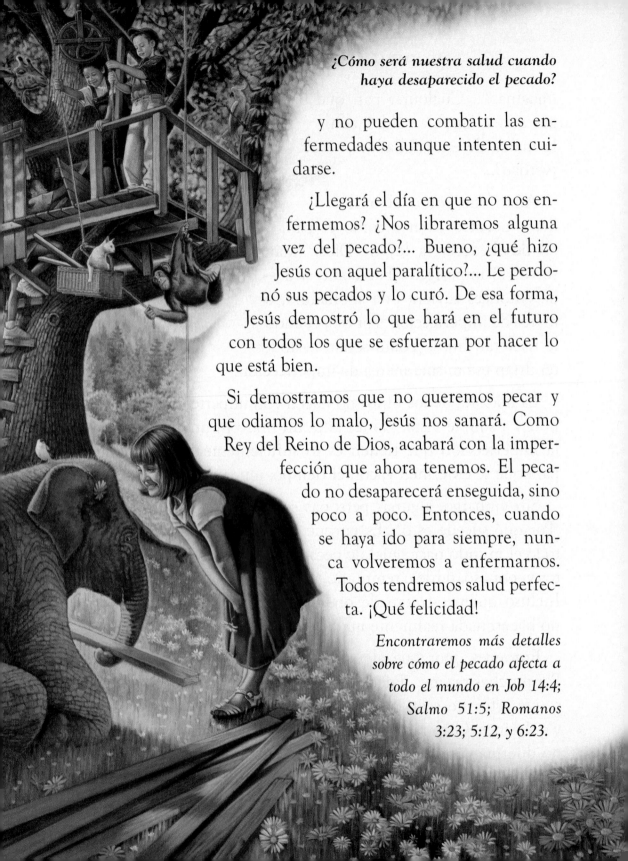

¿Cómo será nuestra salud cuando haya desaparecido el pecado?

y no pueden combatir las enfermedades aunque intenten cuidarse.

¿Llegará el día en que no nos enfermemos? ¿Nos libraremos alguna vez del pecado?... Bueno, ¿qué hizo Jesús con aquel paralítico?... Le perdonó sus pecados y lo curó. De esa forma, Jesús demostró lo que hará en el futuro con todos los que se esfuerzan por hacer lo que está bien.

Si demostramos que no queremos pecar y que odiamos lo malo, Jesús nos sanará. Como Rey del Reino de Dios, acabará con la imperfección que ahora tenemos. El pecado no desaparecerá enseguida, sino poco a poco. Entonces, cuando se haya ido para siempre, nunca volveremos a enfermarnos. Todos tendremos salud perfecta. ¡Qué felicidad!

Encontraremos más detalles sobre cómo el pecado afecta a todo el mundo en Job 14:4; Salmo 51:5; Romanos 3:23; 5:12, y 6:23.

CAPÍTULO 24

NUNCA SEAS UN LADRÓN

¿ALGUNA vez te han robado algo?... ¿Cómo te sentiste?... Quien te robó era un ladrón, y a nadie le gustan los ladrones. ¿Cómo crees que alguien se hace ladrón? ¿Nace así?...

En la lección anterior aprendimos que todos nacemos pecadores y, por lo tanto, somos imperfectos. Pero nadie nace siendo ladrón. Es posible que la persona venga de una familia buena, que sus padres y hermanos sean honrados. Pero su deseo de conseguir dinero y comprarse muchas cosas puede hacer que se convierta en un ladrón.

¿Quién dirías tú que fue el primer ladrón?... A ver, pensemos un poco. El Gran Maestro lo conoció cuando estaba en el cielo. Aquel ladrón era un ángel. Pero si Dios había creado perfectos a todos los ángeles, ¿cómo fue que aquel se hizo ladrón?... Bueno, como aprendimos en el capítulo 8 de este libro, quiso algo que no le pertenecía. ¿Recuerdas qué fue?...

Después de que Dios creara al primer hombre y a la primera mujer, aquel ángel quiso que ellos lo adoraran a él. No tenía derecho a esto, porque la adoración pertenecía a Dios. Pero la robó, por decirlo así. Consiguió que Adán y Eva lo adoraran, y así se convirtió en ladrón. Llegó a ser Satanás el Diablo.

¿Qué convierte a alguien en un ladrón?... *El deseo de tener lo que no le pertenece.* Ese deseo puede volverse tan fuerte que hasta lleve a gente buena a hacer cosas malas. En algunos casos, quienes se hacen ladrones nunca se arrepienten ni vuelven a hacer lo bueno. Una de esas personas fue un apóstol de Jesús que se llamaba Judas Iscariote.

Judas sabía que robar era malo, pues le habían enseñado la Ley de Dios desde niño. Sabía que en cierta ocasión Dios había hablado desde el cielo y le había dicho a su pueblo: "No debes hurtar" (Éxodo 20:15). Cuando Judas creció, conoció al Gran Maestro y se convirtió en discípulo suyo. Con el tiempo, Jesús incluso lo escogió para que fuera uno de sus doce apóstoles.

Jesús y sus apóstoles viajaban y comían juntos. Todo el dinero del grupo se guardaba en una caja, y Jesús se la dio a Judas para que la cuidara. Por supuesto, el dinero no le pertenecía a Judas. Pero ¿sabes qué hizo él algún tiempo después?...

Judas comenzó a sacar dinero de la caja cuando no debía. Lo hacía cuando los demás no lo veían, y hasta intentó encontrar la forma de conseguir más. Comenzó a pensar en el dinero todo el tiempo. Veamos a qué lo llevó aquel deseo malo pocos días antes de que mataran al Gran Maestro.

María, la hermana del amigo de Jesús llamado Lázaro, tomó aceite de la mejor calidad y lo derramó sobre los pies de Jesús. Pero Judas se quejó. ¿Sabes por qué?... Dijo que ese aceite se debería haber vendido para dar el dinero a los pobres. En realidad, lo que él quería era tener más dinero en la caja para poder robarlo (Juan 12:1-6).

Jesús le dijo a Judas que dejara tranquila a María, que había sido tan bondadosa. A Judas no le gustó que Jesús dijera aquello, por eso fue a donde estaban los sacerdotes principales, los enemigos de Jesús. Ellos querían arrestar a Jesús, pero querían hacerlo de noche para que nadie los viera.

Judas les dijo a los sacerdotes: 'Si me dan dinero, les explicaré cómo pueden detener a Jesús. ¿Cuánto están dispuestos a darme?'.

Los sacerdotes contestaron: 'Te daremos treinta monedas de plata' (Mateo 26:14-16).

Judas aceptó el dinero de aquellos hombres. Fue como si les hubiera vendido al Gran Maestro. ¿Puedes creer que alguien cometa una maldad así?... Pues ese es el tipo de cosas que ocurren cuando alguien se hace ladrón y roba dinero. Ama el dinero más de lo que ama a otras personas e incluso a Dios.

Quizás tú digas: "Yo nunca amaré ninguna cosa más de lo que amo a Jehová Dios". Es bueno que pienses así. Probablemente, eso fue lo que Judas pensó cuando Jesús lo eligió para que fuera su apóstol. Otros que se hicieron ladrones tal vez creyeron lo mismo. Hablemos de algunos de ellos.

Uno fue un siervo de Dios llamado Acán, que vivió mucho antes de

¿Por qué robaba Judas?

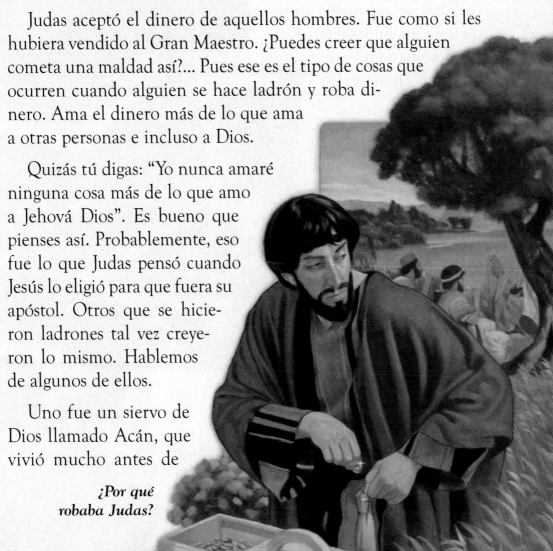

**¿En qué cosas malas
están pensando Acán y David?**

que naciera el Gran Maestro. Acán vio un vestido hermoso, una barra de oro y algunas piezas de plata. Ninguno de esos objetos le pertenecían. La Biblia dice que eran de Jehová porque el pueblo de Dios se los había quitado a sus enemigos. Pero Acán los deseaba tanto que los robó (Josué 6:19; 7:11, 20-22).

Veamos otro ejemplo. Hace mucho tiempo, Jehová escogió a David para que fuera el rey del pueblo de Israel. Un día, David comenzó a observar a una hermosa mujer llamada Bat-seba. Siguió mirándola y pensando en traérsela a su casa para estar con ella. Sin embargo, era la esposa de Urías. ¿Qué debería haber hecho David?...

David debería haber dejado de pensar en Bat-seba, pero no lo hizo. Así que se la

¿En qué sentido fue Absalón un ladrón?

llevó a su casa y se encargó de que mataran a Urías. ¿Por qué hizo David aquellas cosas malas?... Porque deseó a una mujer que era de otro hombre (2 Samuel 11:2-27).

Como David se arrepintió, Jehová le permitió seguir con vida. Pero desde entonces, tuvo muchos problemas. Su hijo Absalón quiso quitarle el puesto de rey. Cuando la gente iba a ver a David, Absalón los abrazaba y los besaba. La Biblia dice: "Absalón siguió *robándose* el corazón de los hombres de Israel". Finalmente consiguió que aquellas personas quisieran que él fuera rey en lugar de David (2 Samuel 15:1-12).

¿Alguna vez has sentido un deseo grande de tener algo, como Acán, David y Absalón?... Si esa cosa pertenece a otra persona, tomarla sin permiso es robar. ¿Recuerdas qué fue lo que quiso el primer ladrón, Satanás?... Quiso que la gente lo adorara a él en vez de a Dios. De manera que Satanás estaba robando cuando hizo que Adán y Eva le obedecieran.

Cuando una persona es dueña de algo, tiene el derecho de decidir quién puede usarlo. Por ejemplo, si vas a jugar a casa de otros niños, ¿está bien que te lleves algo de su casa a la tuya?... No, a menos que su papá o su mamá te digan que puedes hacerlo. Si te llevas una cosa sin pedir permiso, estás robando.

¿Qué puede hacer que te sientas tentado a robar?... El deseo de tener algo que no te pertenece. Aunque ninguna otra persona te vea llevártelo, ¿quién te está viendo?... Jehová Dios. Debemos recordar que Dios odia el robo. Por eso, el amor a Dios y al prójimo evitará que seas un ladrón.

La Biblia explica claramente que robar es malo. Leamos, por favor, Marcos 10:17-19; Romanos 13:9, y Efesios 4:28.

CAPÍTULO 25

¿PUEDEN CAMBIAR LOS QUE HACEN COSAS MALAS?

¿NO SERÍA maravilloso que todo el mundo hiciera el bien?... Pero la verdad es que no hay nadie que lo haga siempre. ¿Sabes por qué todos nos portamos mal a veces, aunque no queramos?... Porque todos nacemos pecadores. Pero hay personas que hacen muchas cosas terribles. Odian a otros y los lastiman a propósito. ¿Crees que pueden cambiar y aprender a ser buenos?...

Fíjate en el joven que está cuidando los mantos de los hombres que lanzan piedras contra Esteban. Su nombre hebreo es Saulo, pero además tiene un nombre romano, Pablo. Él se alegra de que maten a Esteban, que es discípulo del Gran Maestro. Pero veamos por qué Saulo es tan malo.

Saulo pertenecía al grupo religioso judío de los fariseos. Aunque ellos tenían la Palabra de Dios, hacían más caso a las enseñanzas de algunos de sus propios líderes religiosos que a las Escrituras. A eso se debía el mal comportamiento de Saulo.

Saulo estaba en Jerusalén cuando arrestaron a Esteban y lo llevaron ante el tribunal. Allí había algunos jueces fariseos. A pesar de las cosas malas que se dijeron sobre Esteban, él no tuvo miedo. Con valor les predicó a los jueces sobre Jehová Dios y Jesús.

Sin embargo, a los jueces no les gustó lo que escucharon. Ellos ya sabían mucho de Jesús. De hecho, poco tiempo antes lo habían condenado a muerte. Después Jehová había llevado a Jesús de vuelta al cielo. Pero los jueces, en vez de cambiar su conducta, habían empezado a perseguir a los discípulos de Jesús.

Los jueces agarraron a Esteban y lo sacaron a las afueras de la ciudad, donde lo tiraron al suelo y lo apedrearon. Como puedes ver en la lámina, Saulo observaba la escena de cerca. A él le parecía bien que mataran a Esteban.

¿Sabes por qué Saulo pensaba así?... Porque había sido fariseo toda su vida y creía que las enseñanzas de ese grupo religioso eran buenas. Los dirigentes de los fariseos eran un ejemplo para él y los imitaba (Hechos 7:54-60).

¿Qué hizo Saulo después de la muerte de Esteban?... Decidió acabar con los demás discípulos de Jesús. Sacaba de sus casas por la fuerza tanto a los hombres como a las mujeres y los mandaba a la prisión. Muchos discípulos tuvieron que huir de Jerusalén, pero no dejaron de predicar acerca de Jesús (Hechos 8:1-4).

¿Por qué le parecía bien a Saulo que mataran a Esteban?

Eso hizo que Saulo odiara aún más a los discípulos de Jesús. Así que fue a hablar con el sumo sacerdote Caifás, y este le dio permiso para arrestar a los cristianos que vivían en la ciudad de Damasco. Saulo quería llevarlos presos a Jerusalén para que los castigaran. Sin embargo, en el camino a Damasco sucedió algo asombroso.

Apareció una luz muy brillante en el cielo, y una voz dijo: "Saulo, Saulo, ¿por qué me estás persiguiendo?". ¡Jesús le estaba hablando desde el cielo! La luz era tan brillante que dejó ciego a Saulo, y quienes lo acompañaban tuvieron que llevarlo a Damasco.

Tres días después, Jesús se apareció en una visión a Ananías, uno de sus discípulos de Damasco. Le encargó que visitara a Saulo para que le curara la ceguera y hablara con él. Cuando Ananías habló con Saulo, este aceptó la verdad sobre Jesús y recuperó la vista. Su vida cambió por completo y se convirtió en un siervo fiel de Dios (Hechos 9:1-22).

¿Comprendes ahora por qué Saulo hacía cosas malas?... Porque le habían enseñado ideas equivocadas. Seguía a hombres que no eran fieles a Dios y pertenecía a un grupo que daba más importancia a las ideas humanas que a la Palabra de Dios. Entonces, ¿por qué cambió Saulo su vida y comenzó a hacer lo bueno, aunque otros fariseos siguieron oponiéndose a Dios?... Porque él no odiaba realmente la verdad, y cuando le mostraron cuál era, estuvo dispuesto a obedecerla.

¿Sabes quién llegó a ser Saulo después?... Un apóstol de Jesús: el apóstol Pablo. Recuerda, además, que Pablo fue el que escribió más libros de la Biblia.

Hay muchas personas que son como Saulo y que podrían cambiar. Sin embargo, no les resulta fácil porque existe alguien que hace

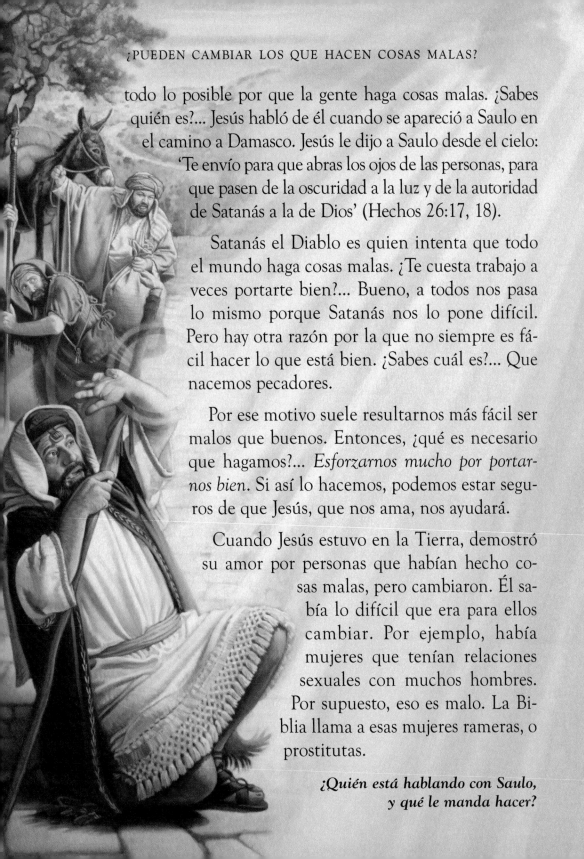

todo lo posible por que la gente haga cosas malas. ¿Sabes quién es?... Jesús habló de él cuando se apareció a Saulo en el camino a Damasco. Jesús le dijo a Saulo desde el cielo: 'Te envío para que abras los ojos de las personas, para que pasen de la oscuridad a la luz y de la autoridad de Satanás a la de Dios' (Hechos 26:17, 18).

Satanás el Diablo es quien intenta que todo el mundo haga cosas malas. ¿Te cuesta trabajo a veces portarte bien?... Bueno, a todos nos pasa lo mismo porque Satanás nos lo pone difícil. Pero hay otra razón por la que no siempre es fácil hacer lo que está bien. ¿Sabes cuál es?... Que nacemos pecadores.

Por ese motivo suele resultarnos más fácil ser malos que buenos. Entonces, ¿qué es necesario que hagamos?... *Esforzarnos mucho por portarnos bien.* Si así lo hacemos, podemos estar seguros de que Jesús, que nos ama, nos ayudará.

Cuando Jesús estuvo en la Tierra, demostró su amor por personas que habían hecho cosas malas, pero cambiaron. Él sabía lo difícil que era para ellos cambiar. Por ejemplo, había mujeres que tenían relaciones sexuales con muchos hombres. Por supuesto, eso es malo. La Biblia llama a esas mujeres rameras, o prostitutas.

¿Quién está hablando con Saulo,
y qué le manda hacer?

En cierta ocasión, una de esas mujeres oyó hablar de Jesús y fue a verlo a casa de un fariseo, pues Jesús se encontraba allí. La mujer echó aceite sobre los pies de Jesús y secó con sus propios cabellos las lágrimas que había derramado sobre ellos. Estaba muy arrepentida de sus pecados, y por eso Jesús la perdonó. Sin embargo, el fariseo opinaba que no se la debía perdonar (Lucas 7:36-50).

¿Sabes qué dijo Jesús en otra ocasión a algunos fariseos?... Estas palabras: "Las rameras van delante de ustedes al reino de Dios" (Mateo 21:31). Jesús dijo eso porque aquellas mujeres habían creído en él y habían cambiado, pero los fariseos seguían persiguiendo a los discípulos de Jesús.

Por lo tanto, si la Biblia muestra que estamos haciendo algo malo, debemos estar dispuestos a cambiar. Además, cuando aprendemos lo que Jehová quiere que hagamos, debemos estar deseosos de hacerlo. De esa forma, Jehová estará contento con nosotros y nos dará vida eterna.

Vamos a leer juntos varios textos que nos ayudarán a no hacer cosas malas: Salmo 119:9-11; Proverbios 3:5-7, y 12:15.

¿Por qué perdonó Jesús a esta mujer que había hecho cosas malas?

CAPÍTULO 26

¿POR QUÉ RESULTA DIFÍCIL HACER LO QUE ESTÁ BIEN?

¿QUIÉN se alegró cuando Saulo hizo cosas malas?... Satanás el Diablo. Pero los líderes religiosos de los judíos también se alegraron. Así que cuando Saulo se convirtió en discípulo del Gran Maestro y empezó a ser conocido como Pablo, aquellos líderes religiosos comenzaron a odiarlo. ¡Entiendes por qué le resulta difícil a un discípulo de Jesús hacer lo que está bien?...

En cierta ocasión, el sumo sacerdote Ananías ordenó que golpearan a Pablo en la cara. Además, Ananías intentó encarcelarlo. Pablo sufrió muchísimo por hacerse discípulo de Jesús. Por ejemplo, hubo personas malas que lo golpearon y quisieron matarlo a pedradas (Hechos 23: 1, 2; 2 Corintios 11:24, 25).

Muchos intentarán que hagamos cosas que desagradan a Dios. Por lo tanto, debemos preguntarnos: "¿Cuánto amamos

¿Qué sufrió Pablo por hacer lo que está bien?

¿Por qué intentan matar a Jesús estas personas?

lo bueno? ¿Lo amamos tanto que lo haremos aunque otros nos odien?". ¿No es cierto que para eso se necesita valor?...

Quizás te preguntes: "¿Por qué iban a odiarnos los demás por hacer lo bueno? ¿No deberían alegrarse?". Eso sería lo normal. Por lo general, a la gente le gustaba Jesús por las cosas buenas que hacía. Una vez, todos los habitantes de una ciudad se reunieron a la puerta de la casa donde él estaba. Fueron allí porque Jesús curaba a los enfermos (Marcos 1:33).

Pero a veces a la gente no le gustaba lo que Jesús enseñaba. Él siempre enseñó la verdad, y algunos lo odiaban precisamente por eso. Así le sucedió un día en la ciudad donde se crió, llama-

138

da Nazaret. Jesús fue a la sinagoga, el lugar donde los judíos se reunían para adorar a Dios.

Allí Jesús dio un discurso magnífico basado en las Escrituras. Al principio, a la gente le gustó. Todos quedaron asombrados por las palabras tan bonitas que salían de su boca. Les parecía imposible que aquel fuera el joven que se había criado en la misma ciudad que ellos.

Pero entonces Jesús comenzó a hablarles de las ocasiones en las que Dios había tratado con bondad especial a personas que no eran judías. Cuando oyeron eso, quienes estaban en la sinagoga se enojaron. ¿Sabes por qué?... Porque pensaban que eran los únicos que disfrutaban de esa bondad especial de Dios, pues se creían mejores que los demás. Así que empezaron a odiar a Jesús por lo que había dicho. ¿Sabes qué intentaron hacerle?...

La Biblia explica: 'Agarraron a Jesús, lo sacaron de la ciudad y lo llevaron a lo alto de un precipicio para arrojarlo desde allí y matarlo. Pero Jesús se les escapó' (Lucas 4:16-30).

Si te ocurriera algo así, ¿volverías para hablar de Dios a esas personas?... ¿Verdad que haría falta valor?... Pues, como al año, Jesús volvió a Nazaret. La Biblia dice: "Se puso a enseñarles en las sinagogas de ellos". Jesús no dejó de hablar de la verdad por temor a hombres que no amaban a Dios (Mateo 13:54).

En otra ocasión era sábado y Jesús se hallaba en un lugar donde había un hombre con una mano seca, es decir, paralizada. Dios le había dado poder a Jesús para curarlo. No obstante, algunos hombres que se encontraban allí quisieron meterlo en problemas. ¿Qué hizo el Gran Maestro?... En primer lugar preguntó: 'Si tuvieran una oveja que se hubiera caído en un hoyo en sábado, ¿la sacarían de allí?'.

Por supuesto que sacarían la oveja, incluso si era sábado, el día en que debían descansar. Por lo tanto, Jesús les dijo: 'Mejor aún es ayudar a un hombre en sábado, puesto que un hombre es de mucho más valor que una oveja'. Estaba claro que Jesús debía ayudar a aquella persona curándola.

Jesús le pidió al enfermo que estirara la mano y se la curó enseguida. ¡Qué feliz se puso el hombre! Pero ¿y los demás? ¿Se alegraron?... No. Sintieron aún más odio por Jesús. Salieron de allí e hicieron planes para matarlo (Mateo 12:9-14).

La situación es parecida en nuestros días. Sin importar lo que hagamos, nunca podremos complacer a todo el mundo. Así que debemos decidir a quién queremos complacer. Si es a Jehová Dios y a su Hijo, Jesucristo, entonces debemos hacer siempre lo que ellos nos enseñan. Sin embargo, ¿quién nos odiará por eso? ¿Quién hará que nos resulte difícil hacer lo que está bien?...

Satanás el Diablo. ¿Alguien más?... Las personas a quienes el Diablo ha hecho creer cosas malas. Jesús les dijo a los líderes religiosos de su tiempo: "Ustedes proceden de su padre el Diablo, y quieren hacer los deseos de su padre" (Juan 8:44).

Hay muchas personas que hacen lo que le gusta al Diablo. Jesús las llama "el mundo". ¿Qué crees que es "el mundo" del que habla Jesús?... Busquemos Juan, capítulo 15, versículo 19, donde leemos estas palabras de Jesús: "Si ustedes fueran parte del mundo, el mundo le tendría afecto a lo que es suyo. Ahora bien, porque ustedes no son parte del mundo, sino que yo los he escogido del mundo, a causa de esto el mundo los odia".

Por lo tanto, el mundo que odia a los discípulos de Jesús está formado por toda la gente que no sigue al Gran Maestro. ¿Por qué odia el mundo a los discípulos de Jesús?... Piensa un poco. ¿Quién es el gobernante de este mundo?... La Biblia dice: 'El mundo entero se encuentra en el poder del inicuo'. Ese inicuo, o malvado, es Satanás el Diablo (1 Juan 5:19).

¿Comprendes ahora por qué cuesta tanto trabajo hacer lo que está bien?... Satanás y su mundo nos lo ponen difícil. Pero hay otra razón. ¿Recuerdas cuál es?... En el capítulo 23 aprendimos que todos nacemos pecadores. ¿No crees que será maravilloso cuando el pecado, el Diablo y su mundo hayan desaparecido?...

La Biblia promete: "El mundo va pasando". Eso significa que todos los que no sean discípulos del Gran Maestro desaparecerán, no se les permitirá vivir para siempre. Pero ¿sabes quiénes sí vivirán eternamente?... La Biblia pasa a decir: "El que hace la voluntad de Dios permanece para siempre" (1 Juan 2:17). Solo las personas que hagan lo que está bien, "la voluntad de Dios", vivirán para siempre en Su nuevo mundo. Por eso, aunque resulte difícil, ¿verdad que deseamos hacer lo que está bien?...

Vamos a leer juntos algunos textos bíblicos que muestran por qué no resulta fácil hacer lo que está bien: Mateo 7:13, 14; Lucas 13:23, 24, y Hechos 14:21, 22.

Cuando este mundo pase, ¿qué les ocurrirá a quienes hacen lo que está bien?

CAPÍTULO 27

¿QUIÉN ES NUESTRO DIOS?

¿POR qué es importante que nos preguntemos quién es nuestro Dios?... Porque la gente adora a muchos dioses (1 Corintios 8:5). Cuando el apóstol Pablo recibió poder de Jehová para sanar a un hombre que nunca había podido caminar, la muchedumbre gritó: "¡Los dioses se han hecho como humanos y han bajado a nosotros!". Entonces quisieron adorar a Pablo y a su amigo Bernabé. Hasta se pusieron a llamarlos por el nombre de dioses falsos: Hermes a Pablo, y Zeus a Bernabé.

Pero Pablo y Bernabé no permitieron que nadie los adorara. Se mezclaron entre la gente diciendo: 'Vuélvanse de estas cosas vanas al Dios vivo' (Hechos 14:8-15). ¿Quién es el "Dios vivo" que creó todas las cosas?... Es Jehová, "el Altísimo sobre toda la tierra". Jesús llamó a Jehová "el único Dios verdadero". Por lo tanto, ¿quién es el único que merece que se le adore?... Jehová y nadie más (Salmo 83:18; Juan 17:3; Revelación [Apocalipsis] 4:11).

La mayoría de las personas adoran a dioses que no son "el único Dios verdadero". Muchas veces adoran objetos hechos de madera, piedra o metal (Éxodo 32:4-7; Levítico 26:1; Isaías 44: 14-17). E incluso a algunos hombres y mujeres famosos los llaman dioses, estrellas o ídolos. Pero ¿se debe dar gloria a todos estos?...

Después de que Saulo se convirtió en el apóstol Pablo, escribió: "El dios de este sistema de cosas ha cegado las mentes de los incrédulos" (2 Corintios 4:4). ¿Quién es ese dios?... Es Satanás el

¿Por qué no permitieron Pablo y Bernabé
que la gente se inclinara ante ellos?

Diablo. Él ha conseguido que se adore a muchas personas y a muchas cosas.

Cuando Satanás intentó que Jesús se inclinara y lo adorara, ¿qué le respondió Jesús?... "Es a Jehová tu Dios a quien tienes que adorar, y *es solo a él* a quien tienes que rendir servicio sagrado." (Mateo 4:10.) De esa forma, Jesús mostró claramente que la adoración solo le pertenece a Jehová. Vamos a leer qué les pasó a unos jóvenes que sabían esto muy bien. Se llamaban Sadrac, Mesac y Abednego.

Aquellos jóvenes eran hebreos que habían nacido en Israel, la nación de Dios, pero habían sido llevados prisioneros a la tierra de Babilonia. Allí, un rey llamado Nabucodonosor construyó una enorme imagen de oro y un día ordenó que todo el mundo

¿Por qué no se inclinaron ante la imagen estos tres hombres?

se inclinara ante ella al sonar la música. Advirtió: 'El que no se incline y la adore será arrojado al horno ardiente'. ¿Qué habrías hecho tú?...

Normalmente, Sadrac, Mesac y Abednego obedecían todas las órdenes del rey. Pero esta vez no lo hicieron; se negaron a inclinarse. ¡Sabes por qué?... Porque la ley de Dios decía: 'No debes tener otros dioses además de mí. No debes hacerte ninguna imagen tallada ni inclinarte ante ella' (Éxodo 20:3-5). Por ese motivo, Sadrac, Mesac y Abednego obedecieron la ley de Jehová en lugar de la orden del rey.

El rey se enojó mucho e hizo que llevaran enseguida ante él a los tres hebreos. Entonces les dijo: '¿Es verdad que ustedes no sirven a mis dioses? Voy a darles otra oportunidad. Cuando escuchen la música, inclínense y adoren la imagen que he construido. Si no lo hacen, se les arrojará al horno ardiente. ¿Y qué dios podrá rescatarlos de mis manos?'.

¿Qué harían aquellos jóvenes? ¿Qué habrías hecho tú?... Ellos le respondieron al rey: 'Nuestro Dios a quien servimos puede rescatarnos. Pero aunque no lo hiciera, no serviremos a tus dioses. No nos inclinaremos ante tu imagen de oro'.

El rey se enfureció y ordenó: '¡Calienten el horno siete veces más de lo normal!'. Entonces mandó a algunos de sus soldados más fuertes que ataran a Sadrac, Mesac y Abednego y los arrojaran al horno. ¡El horno estaba tan caliente que las llamas mataron a los soldados! Pero ¿qué les pasó a los tres hebreos?

Sadrac, Mesac y Abednego cayeron en medio del fuego, pero de repente, se levantaron. No habían sufrido ningún daño y ya no estaban atados. ¿Cómo era posible?... El rey miró hacia dentro del horno y se asustó de lo que vio. '¿No arrojamos al fuego a tres hombres?', preguntó. Sus sirvientes contestaron: "Sí, oh rey".

Entonces él les dijo: '¡Miren! Veo a cuatro personas que se pasean en medio del fuego sin sufrir daño'. ¿Sabes quién era la cuarta persona?... Era el ángel de Jehová, que protegió a los tres hebreos para que no les pasara nada.

Al ver esto, el rey se acercó a la puerta del horno y gritó: "¡Sadrac, Mesac y Abednego, siervos del Dios

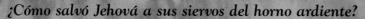

¿Cómo salvó Jehová a sus siervos del horno ardiente?

Altísimo, salgan y vengan acá!'". Cuando salieron, todo el mundo pudo comprobar que no se habían quemado. Ni siquiera olían a humo. Entonces el rey dijo: 'Bendito sea el Dios de Sadrac, Mesac y Abednego, que envió a un ángel para salvar a sus siervos porque no quisieron adorar a otro dios que no fuera el suyo' (Daniel, capítulo 3).

Podemos aprender una lección de lo que ocurrió entonces. En nuestros días, los hombres también fabrican imágenes, o ídolos, para adorarlas. Las hacen de madera, piedra, metal o tela. Una enciclopedia dice: "La bandera, al igual que la cruz, es sagrada" (*The Encyclopedia Americana*). Los primeros discípulos de Jesús no realizaban actos de adoración al emperador romano. El historiador Daniel P. Mannix dijo que lo que ellos hacían se puede comparar a "negarse a saludar la bandera o repetir el juramento de lealtad".

¿A qué ídolos se da gloria hoy día?

Por lo tanto, ¿crees que para Dios hay alguna diferencia si una imagen religiosa está hecha de tela, madera, piedra o metal?... ¿Estaría bien que un siervo de Jehová realizara un acto de adoración ante una imagen así?... Sadrac, Mesac y Abednego no lo hicieron, y a Jehová le agradó. ¿Cómo puedes imitar su ejemplo?...

Los que sirven a Jehová no pueden adorar a ninguna otra persona ni cosa. Veamos qué se dice sobre esto en Josué 24:14, 15, 19-22; Isaías 42:8; 1 Juan 5:21, y Revelación 19:10.

CAPÍTULO 28

¿CÓMO PODEMOS SABER A QUIÉN DEBEMOS OBEDECER?

A VECES no es fácil saber a quién debemos obedecer. Quizás tu mamá o tu papá te manden hacer algo, pero un maestro o un policía te digan que hagas lo contrario. Si pasa eso, ¿a quién debes obedecer?...

En el capítulo 7 de este libro leímos el texto bíblico de Efesios 6:1-3. Allí se explica que los hijos deben obedecer a sus padres. Dice: "Sean obedientes a sus padres *en unión con el Señor*". ¿Sabes qué significa estar *"en unión con el Señor"*?... Los padres que están *en unión con el Señor* enseñan a sus hijos a obedecer las leyes de Dios.

Pero hay algunos adultos que no creen en Jehová. ¿Qué sucedería si uno de ellos le dijera a un niño que está bien copiar en un examen o llevarse algo de una tienda sin pagar? ¿Estaría bien, entonces, que el niño copiara o robara?...

Recuerda que el rey Nabucodonosor ordenó en cierta ocasión que todos se inclinaran ante la imagen de oro que había mandado construir. Pero Sadrac, Mesac y Abednego no se inclinaron. ¿Sabes por qué?... Porque la Biblia dice que solo se debe adorar a Jehová (Éxodo 20:3; Mateo 4:10).

Después de la muerte de Jesús, a sus apóstoles los llevaron ante el Sanedrín, el tribunal religioso más importante de los judíos. El sumo sacerdote Caifás dijo: 'Les ordenamos que no siguieran enseñando en el nombre de Jesús, y sin embargo,

¡miren!, han llenado a Jerusalén con su enseñanza'. ¿Por qué no obedecieron los apóstoles al Sanedrín?... Pedro, hablando en nombre de todos los apóstoles, contestó a Caifás: "Tenemos que obedecer a Dios como gobernante más bien que a los hombres" (Hechos 5:27-29).

¿Qué le está diciendo Pedro a Caifás?

En aquel tiempo, los líderes religiosos de los judíos tenían mucho poder. Pero su país estaba bajo el dominio de Roma y de su emperador, a quien llamaban César. A pesar de que los judíos no querían que César los dirigiera, el gobierno romano hizo muchas cosas buenas por el pueblo. Y los gobiernos de la actualidad también hacen cosas buenas por sus ciudadanos. ¿Puedes decirme algunas?...

Los gobiernos construyen carreteras para que viajemos por ellas, y pagan a policías y bomberos para que nos protejan. También se encargan de que haya escuelas para los niños y atención médica para los ancianos. Todas estas cosas les cuestan dinero a los gobiernos. ¿Sabes de dónde lo sacan?... De sus ciudadanos. El dinero que la gente entrega al gobierno se llama impuesto.

En tiempos del Gran Maestro, muchos judíos no querían pagar impuestos al gobierno romano. Un día, los sacerdotes contrataron a unos hombres para que le hicieran a Jesús una pregunta que lo metiera en problemas. Le dijeron: '¿Tenemos que pagarle impuestos a César, o no?'. La pregunta era engañosa. Si Jesús contestaba: "Sí, tienen que pagar impuestos", a muchos judíos no les gustaría la respuesta. Pero Jesús no podía contestar: "No, no tienen que pagar impuestos", pues eso no estaba bien.

¿Qué hizo Jesús entonces? Les dijo: 'Muéstrenme una moneda'. Cuando le enseñaron una, Jesús preguntó: '¿De quién es la imagen y el nombre que hay en ella?'. Los hombres respondieron: "De César". Así que Jesús les dijo: "Sin falta, entonces, paguen a César las cosas de César, pero a Dios las cosas de Dios" (Lucas 20:19-26).

Nadie pudo criticar aquella respuesta. Si César hace cosas por las personas, es justo que se las paguen con el dinero que él ha

¿Cómo respondió Jesús a la pregunta engañosa de estos hombres?

fabricado. De esa forma, Jesús mostró que debemos pagar impuestos al gobierno por las cosas que recibimos de él.

Aunque tú aún no tengas edad de pagar impuestos, hay algo que sí debes darle al gobierno. ¿Sabes qué es?... Obediencia a sus leyes. La Biblia dice: 'Sean obedientes a las autoridades superiores'. Estas autoridades son las personas que tienen poder en el gobierno. De manera que es Dios quien nos dice que debemos obedecer las leyes del gobierno (Romanos 13:1, 2).

Quizás haya una ley que prohíba tirar papeles o basura en la calle. ¿Debes obedecerla?... Sí, Dios quiere que lo hagas. ¿Debes obedecer también a los policías?... El gobierno paga a los policías para que protejan a la gente. Si los obedeces, es como si obedecieras al gobierno.

Por lo tanto, si vas a cruzar la calle y un policía te dice: "¡Espera!", ¿qué harás?... ¿Cruzarás corriendo de todos modos porque otros también lo hacen?... Debes esperar, aunque seas el único. Dios te dice que obedezcas.

Puede que haya problemas en el vecindario y un policía diga: "No salgan a la calle. Quédense en casa". Pero quizás oigas gritos y te preguntes qué pasa. ¿Deberías salir a mirar?... Si salieras, ¿estarías obedeciendo a "las autoridades superiores"?...

En muchos lugares, el gobierno también construye escuelas y paga a los maestros. ¿Crees que Dios quiere que obedezcas a los maestros?... Piensa en lo siguiente: el gobierno paga a los maestros para que enseñen, igual que paga a los policías para que protejan a la gente. Así que obedecer a los policías o a los maestros es como obedecer al gobierno.

¿Por qué debemos obedecer a la policía?

¿Y si un maestro te dice que adores a una imagen? ¿Qué harás?... Los tres hebreos no se inclinaron ante la imagen, aunque el rey Nabucodonosor se lo ordenó. ¿Recuerdas por qué?... Porque no querían desobedecer a Dios.

Un historiador llamado Will Durant escribió que los primeros cristianos 'no daban su lealtad principal a César'. Esa lealtad le pertenecía a Jehová. Por lo tanto, no olvides que Dios debe ser lo más importante en nuestra vida.

Obedecemos al gobierno porque Dios quiere que lo hagamos. Pero si se nos pide hacer algo que Dios prohíbe, ¿qué diremos?... Lo mismo que los apóstoles le dijeron al sumo sacerdote: "Tenemos que obedecer a Dios como gobernante más bien que a los hombres" (Hechos 5:29).

La Biblia enseña a obedecer las leyes. Leamos lo que está escrito en Mateo 5:41; Tito 3:1, y 1 Pedro 2:12-14.

CAPÍTULO 29

¿LE AGRADAN A DIOS TODAS LAS FIESTAS?

¿TE GUSTA ir a fiestas?... Pueden ser muy divertidas. ¿Crees que al Gran Maestro le parece bien que vayamos a fiestas?... Él fue con algunos de sus discípulos a una fiesta en la que se celebraba una boda. Además, Jehová es el "Dios feliz", y se alegra de que nos divirtamos en las fiestas que a él le agradan (1 Timoteo 1:11; Juan 2:1-11).

En la página 29 de este libro se nos cuenta que Jehová dividió las aguas del mar Rojo para que los israelitas pudieran cruzarlo. ¿Lo recuerdas?... Después, el pueblo cantó y bailó, y dio gracias a Jehová. Fue como una fiesta. La gente estaba muy contenta, y podemos estar seguros de que Dios también lo estaba (Éxodo 15:1, 20, 21).

Casi cuarenta años después, los israelitas fueron a otra gran fiesta. En esa ocasión, quienes los invitaron no adoraban a Jehová. En realidad, adoraban a otros dioses y tenían relaciones sexuales con personas con las que no estaban casados. ¿Crees que estaba bien ir a una fiesta como esa?... A Jehová no le pareció bien, y castigó a los israelitas (Números 25:1-9; 1 Corintios 10:8).

¿Por qué le gustó a Dios esta fiesta?

La Biblia también habla de dos fiestas de cumpleaños. ¿Se festejó en alguna de ellas el cumpleaños del Gran Maestro?... No. Las dos fiestas se celebraron en honor de hombres que no servían a Jehová. Una fue la fiesta de cumpleaños del rey Herodes Antipas, que gobernaba el distrito de Galilea cuando Jesús vivía allí.

El rey Herodes hizo muchas cosas malas. Incluso le quitó la esposa a su propio hermano. El nombre de ella era Herodías. El siervo de Dios llamado Juan el Bautista le dijo a Herodes que estaba mal lo que hacía. A Herodes no le gustó que se lo dijera, así que encarceló a Juan (Lucas 3:19, 20).

Mientras Juan estaba en la cárcel, llegó el día del cumpleaños de Herodes. Este dio una gran fiesta, con muchos invitados importantes. Todos comían, bebían y se divertían. Entonces entró la hija de Herodías y bailó para ellos. A todos les gustó tanto el baile que el rey Herodes quiso hacerle un regalo especial a la joven. Le dijo: "Cualquier cosa que me pidas, te la daré, hasta la mitad de mi reino".

¿Qué ocurrió en la fiesta de cumpleaños de Herodes?

153

¿Qué debía pedir? ¿Dinero? ¿Ropa bonita? ¿Un palacio para ella sola? La muchacha no sabía qué decir, así que fue a donde estaba su madre, Herodías, y le preguntó: "¿Qué debo pedir?".

Como Herodías odiaba con todas sus fuerzas a Juan el Bautista, le dijo a su hija que pidiera la cabeza de Juan. La muchacha volvió ante el rey y le dijo: "Quiero que me des ahora mismo en una bandeja la cabeza de Juan el Bautista".

El rey Herodes sabía que Juan era un buen hombre y no quería matarlo. Pero Herodes había hecho una promesa y le preocupaba lo que pensarían sus invitados si no la cumplía. Por eso envió a un soldado a la prisión para que le cortara la cabeza a Juan. El soldado volvió enseguida con la cabeza en una bandeja y se la dio a la muchacha. Entonces ella se la llevó a su madre (Marcos 6:17-29).

La otra fiesta de cumpleaños de la que habla la Biblia tampoco fue buena. Se celebró en honor de un rey de Egipto. Durante aquella fiesta, el rey también ordenó que le cortaran la cabeza a una persona. Además, después mandó que colgaran el cuerpo

¿Por qué no es posible que Jesús naciera el 25 de diciembre?

para que se lo comieran las aves (Génesis 40:19-22). ¿Crees que Dios aprobó esas dos fiestas?... ¿Te hubiera gustado estar en ellas?...

Sabemos que todo lo que está escrito en la Biblia tiene un propósito. Pues bien, en ella solo se habla de dos fiestas de cumpleaños. Y en las dos se hicieron cosas malas como parte de la celebración. Entonces, ¿qué piensas tú que Dios nos está diciendo sobre las fiestas de cumpleaños? ¿Quiere él que las celebremos?...

Es cierto que en nuestros días no se le corta la cabeza a nadie en las fiestas de cumpleaños. Pero los primeros que tuvieron la idea de celebrarlas fueron personas que no adoraban al Dios verdadero. Sobre las fiestas de cumpleaños mencionadas en la Biblia, una enciclopedia dice: "Son solo los pecadores [...] quienes hacen grandes festividades el día en que nacieron" (*The Catholic Encyclopedia*). ¿Queremos ser como ellos?...

¿Qué puede decirse del Gran Maestro? ¿Festejaba él su cumpleaños?... No, la Biblia no dice que lo hiciera. Tampoco sus primeros discípulos lo celebraban. ¿Sabes por qué la gente decidió después festejar el cumpleaños de Jesús el día 25 de diciembre?...

Se eligió esa fecha porque, como explica otra enciclopedia, "los habitantes de Roma ya observaban ese día la fiesta de Saturno, en la que se celebraba el cumpleaños del Sol" (*The World Book Encyclopedia*). Es decir, para el cumpleaños de Jesús se escogió una fecha en la que los paganos ya celebraban una fiesta.

¿Sabes por qué no es posible que Jesús naciera en diciembre?... Porque la Biblia dice que cuando él nació, había pastores que pasaban la noche en los campos (Lucas 2:8-12). Y no podrían haberlo hecho durante el mes de diciembre, que en aquella región es frío y lluvioso.

Muchas personas saben que el día de Navidad no es el cumpleaños de Jesús. Saben incluso que en ese día los paganos tenían una celebración que no le agrada a Dios. Pero, de todas maneras, muchos celebran la Navidad. Están más interesados en divertirse en la fiesta que en averiguar lo que Dios piensa de ella realmente. Pero nosotros queremos agradar a Jehová, ¿no es cierto?...

Por eso, cuando celebremos fiestas, debemos asegurarnos de que a Jehová le agraden. Podemos celebrarlas en cualquier momento del año. No tenemos por qué esperar a un día determinado. Podemos comer algo especial y divertirnos jugando. ¿Te gustaría hacerlo?... Quizás puedas hablar con tus padres y planear una fiesta con su ayuda. ¿Verdad que sería bueno?... Pero antes de hacer los planes, debes estar seguro de que será un tipo de fiesta que Dios apruebe.

También se muestra lo importante que es hacer siempre lo que Dios aprueba en Proverbios 12:2; Juan 8:29; Romanos 12:2, y 1 Juan 3:22.

¿Cómo podemos estar seguros de que nuestras fiestas agradan a Dios?

CAPÍTULO 30

AYUDA PARA VENCER EL MIEDO

¿TE RESULTA fácil servir a Jehová?... El Gran Maestro no dijo que iba a ser fácil. La noche antes de que lo mataran, les explicó a sus apóstoles: "Si el mundo los odia, saben que me ha odiado a mí antes que los odiara a ustedes" (Juan 15:18).

Pedro dijo con orgullo que nunca abandonaría a Jesús. Sin embargo, Jesús contestó que aquella misma noche Pedro diría tres veces que ni siquiera lo conocía. Y eso fue exactamente lo que pasó (Mateo 26:31-35, 69-75). ¿Cómo pudo ocurrir algo así?... Ocurrió porque Pedro y los demás apóstoles tuvieron miedo.

¿Sabes por qué tuvieron miedo?... Porque no hicieron algo muy importante. Si averiguamos qué es, podremos servir a Jehová sin importar lo que otros nos digan o hagan. Para empezar, analicemos lo que sucedió la última noche que Jesús pasó con sus apóstoles.

En primer lugar, celebraron juntos la Pascua, que era una cena especial que se hacía una vez al año para recordarle al pueblo judío que Dios los había liberado de la esclavitud en Egipto. A continuación, Jesús celebró por primera vez con sus apóstoles otra cena especial. Unos capítulos más adelante explicaremos cómo aquella cena nos ayuda a recordar a Jesús. Cuando terminaron de cenar, Jesús dijo unas palabras para animar a sus apóstoles y los llevó al jardín de Getsemaní, que era un lugar donde les gustaba reunirse.

Al llegar al jardín, Jesús se fue a un lugar solitario para orar. También les pidió a Pedro, Santiago y Juan que oraran, pero ellos se quedaron dormidos. En tres ocasiones, Jesús se alejó para orar, y cada vez que volvía, encontraba a Pedro y a los demás durmiendo (Mateo 26:36-47). ¿Sabes por qué deberían haberse quedado despiertos para orar?... Vamos a ver la razón.

Judas Iscariote había celebrado la Pascua con Jesús y los otros apóstoles esa misma noche. Quizás recuerdes que Judas se había hecho ladrón, pero ahora, además, se convertiría en traidor. Él sabía en qué lugar del jardín de Getsemaní se reunía Jesús con sus apóstoles, así que llevó a los soldados allí para que arrestaran al Gran Maestro. Al verlos, Jesús les preguntó: "¿A quién buscan?".

Los soldados contestaron: "A Jesús". Él no tenía miedo, de modo que les dijo: "Soy yo". Los soldados se asombraron tanto del valor de Jesús que retrocedieron y cayeron al suelo. Jesús les dijo entonces: 'Si es a mí a quien buscan, dejen ir a mis apóstoles' (Juan 18:1-9).

Cuando los soldados arrestaron a Jesús y le ataron las manos, los apóstoles se asustaron y huyeron. Pero Pedro y Juan querían saber qué pasaría con Jesús, así que lo siguieron de lejos. Finalmente, Jesús fue llevado a la casa de Caifás, el sumo sacerdote. Como Juan conocía al sumo sacerdote, la portera dejó que él y Pedro entraran en el patio.

Los sacerdotes ya se habían reunido en casa de Caifás para celebrar el juicio. Querían dar muerte a Jesús, de manera que trajeron testigos que dijeron mentiras sobre él. Además, la gente le empezó a dar puñetazos y bofetadas. Mientras sucedía todo aquello, Pedro estaba por allí cerca.

¿Por qué deberían haberse quedado despiertos Pedro, Santiago y Juan?

Una sirvienta joven, la portera que había dejado entrar a Pedro y Juan, se fijó en Pedro y le dijo: '¡Tú también estabas con Jesús!'. Pero él contestó que ni siquiera lo conocía. Poco después, otra muchacha reconoció a Pedro y dijo a los que se encontraban allí: "Este hombre estaba con Jesús". Pedro volvió a negarlo. Un poco más tarde, algunas personas lo vieron y le dijeron: "Ciertamente tú también eres uno de ellos". Pedro lo negó por tercera vez, con estas palabras: "¡No conozco al hombre!". Hasta juró que decía la verdad. En ese momento, Jesús se dio la vuelta y lo miró (Mateo 26:57-75; Lucas 22:54-62; Juan 18:15-27).

¿Sabes por qué mintió Pedro?... Porque tenía miedo. Pero ¿por qué tenía miedo? ¿Hubo algo que no hizo y que le hubiera dado valor? Piensa en esto: ¿qué había hecho Jesús para no sentir temor?... Él oró a Dios, y Dios le ayudó a tener valor. Recuerda también que Jesús le había dicho a Pedro tres veces que se mantuviera despierto y alerta. Pero ¿qué ocurrió?...

¿Por qué tuvo Pedro tanto miedo que dijo que no conocía a Jesús?

En todas las ocasiones, Pedro se quedó dormido. No oró ni se mantuvo alerta. Por eso, el arresto de Jesús lo tomó por sorpresa. Durante el juicio, Pedro se asustó al ver que golpeaban a Jesús y planeaban su muerte. Pero unas pocas horas antes, ¿qué les había dicho Jesús a sus apóstoles sobre cómo los trataría el mundo?... Les había dicho que el mundo los odiaría, igual que lo había odiado a él.

Vamos a pensar en una situación parecida a la de Pedro en la que podríamos encontrarnos nosotros. Imagínate que estás en clase y otros empiezan a criticar a las personas

¿En qué situación parecida a la de Pedro podrías encontrarte?

que no saludan la bandera o no celebran la Navidad. De repente, alguien se vuelve hacia ti y te pregunta: "¿Es cierto que *tú* no saludas la bandera?". O pudieran decirte: "Nos han contado que ni siquiera celebras la Navidad". ¿Te daría miedo decir la verdad?... ¿Sentirías la tentación de mentir, como hizo Pedro?...

Pedro se puso muy triste después de negar que conocía a Jesús. Cuando se dio cuenta de lo que había hecho, salió afuera y lloró. Así es, Pedro volvió con Jesús (Lucas 22:32). Entonces, ¿qué piensas que nos ayudará a no estar tan asustados que nos portemos igual que Pedro?... Recuerda que él no oró ni se mantuvo alerta. Por lo tanto, ¿qué dirías que debemos hacer para ser seguidores del Gran Maestro?...

Sin duda, tenemos que orar a Jehová pidiéndole su ayuda. Cuando Jesús oró, ¿sabes qué hizo Dios por él?... Envió a un ángel para que le diera fuerzas (Lucas 22:43). ¿Pueden ayudarnos a nosotros los ángeles de Dios?... La Biblia dice: "El ángel de Jehová está acampando todo en derredor de los que le temen, y los libra" (Salmo 34:7). Pero para recibir la ayuda de Dios, no basta con pedirla en oración. ¿Sabes qué más hay que hacer?... Jesús les dijo a sus seguidores que se mantuvieran despiertos y alerta. ¿Cómo crees que podemos hacerlo?...

Tenemos que prestar atención a lo que se dice en las reuniones cristianas y a lo que leemos en la Biblia. Además, debemos orar a Jehová a menudo y pedirle que nos ayude a ser sus siervos. Si lo hacemos, él nos dará la ayuda necesaria para vencer el miedo. Entonces nos sentiremos felices cuando se presenten oportunidades de hablar a otras personas del Gran Maestro y de su Padre.

Estos textos nos ayudarán a no dejar de hacer lo que está bien por miedo a otras personas: Proverbios 29:25; Jeremías 26:12-15, 20-24, y Juan 12:42, 43.

CAPÍTULO 31

DÓNDE ENCONTRAR CONSUELO

¿TE SIENTES a veces triste y solo?... ¿Te preguntas si hay alguien que te quiera?... Algunos niños se sienten así, pero Dios promete: *"Yo mismo no me olvidaré de ti"* (Isaías 49:15). ¿No es maravilloso pensar en esa promesa?... Sí, Jehová Dios nos ama de verdad.

Un escritor bíblico dijo: 'En caso de que mi propio padre y mi propia madre de veras me dejaran, aun Jehová mismo me recibiría' (Salmo 27:10). Saber esto nos consuela mucho, ¿no es cierto?... Jehová nos dice: 'No tengas miedo, porque estoy contigo. *Verdaderamente te ayudaré*' (Isaías 41:10).

Sin embargo, Jehová a veces permite que Satanás cause dificultades a Sus siervos y que incluso los ponga a prueba. En una ocasión, el Diablo hizo sufrir tanto a Jesús, que este le oró a Jehová: 'Dios mío, Dios mío, ¿por qué me has abandonado?' (Mateo 27:46). A pesar de que Jesús estaba sufriendo, sabía que Jehová lo amaba (Juan 10:17). Pero también sabía que Dios permite que Satanás ponga a prueba a Sus siervos y los haga sufrir. En otro capítulo veremos por qué razón lo permite.

Cuando uno es pequeño, en ciertas ocasiones es difícil no tener miedo. Por ejemplo: ¿te has perdido alguna vez?... ¿Te asustaste?... Muchos niños lo harían. Un día, el Gran Maestro contó una historia en la que el personaje se perdió. Pero no se trataba de un niño, sino de una oveja.

¿Cómo crees que se siente esta ovejita perdida?

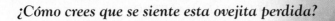

En cierto sentido, tú eres como una oveja. ¿Cómo es eso posible? Porque las ovejas no son muy grandes ni tampoco son muy fuertes, y necesitan que alguien las cuide y proteja, igual que tú. El hombre que se encarga de cuidar las ovejas es el pastor.

En su historia, Jesús habló de un pastor que tenía cien ovejas. Un día, una de ellas se perdió. Tal vez solo quería ver lo que había al otro lado de la colina, pero el resultado fue que al poco tiempo se había alejado de las demás. ¿Te imaginas cómo se sintió la ovejita cuando miró a su alrededor y vio que estaba completamente sola?...

¿Qué haría el pastor al darse cuenta de que faltaba una oveja? ¿Pensaría que, como era culpa de ella, no tenía que preocuparse? ¿O dejaría a las otras noventa y nueve en un lugar seguro y se iría a buscar a la perdida? ¿Merecía la pena pasar tanto trabajo por una sola oveja?... Si tú fueras la oveja perdida, ¿te gustaría que el pastor fuera a buscarte?...

El pastor quería mucho a todas sus ovejas, incluso a la que se había perdido, así que fue a buscarla. Imagínate lo contenta que se puso la oveja perdida cuando vio llegar al pastor. Jesús dijo que también el pastor se alegró mucho de haberla encontrado. Se alegró más por ella que por las noventa y nueve que no se habían perdido. Pues bien, ¿quién es como el pastor de la historia de Jesús? ¿Quién se preocupa por nosotros tanto como aquel pastor por su oveja?... Jesús dijo que su Padre celestial, Jehová, hace eso.

Jehová Dios es el Gran Pastor de su pueblo. Ama a todos sus siervos, hasta a los niños como tú. No quiere que ninguno de nosotros sufra daño o sea destruido. Sin duda, es maravilloso saber que Dios se preocupa tanto por nosotros (Mateo 18:12-14).

¿Crees realmente en Jehová Dios?... ¿Es él una persona real para ti?... Lo cierto es que no podemos ver a Jehová porque,

*¿Quién es como el pastor
que rescató a su oveja?*

como es un espíritu, tiene un cuerpo invisible para nosotros. Pero es una persona real y puede vernos. Sabe cuándo necesitamos ayuda. Además, al igual que hablamos con otras personas, por medio de la oración podemos hablar con Jehová. De hecho, él quiere que lo hagamos.

Por eso, si alguna vez te sientes triste o solo, ¿qué deberías hacer?... Habla con Jehová. Acércate a él, pues te consolará y ayudará. No olvides que Jehová te ama, hasta en los momentos en que te sientes muy solo. Vamos a abrir la Biblia. Allí, en el Salmo 23, desde el versículo 1 en adelante, se nos dice: "Jehová es mi Pastor. Nada me faltará. En prados herbosos me hace recostar; me conduce por descansaderos donde abunda el agua".

Verás que el escritor añade en el versículo 4: "Aunque ande en el valle de sombra profunda, no temo nada malo, porque tú estás conmigo; tu vara y tu cayado son las cosas que me consuelan". Así es como se sienten las personas si su Dios es Jehová. Encuentran consuelo en momentos difíciles. ¿Te sientes tú así?...

¿Es Jehová tan real para ti como tu papá u otra persona?

Jehová cuida de sus siervos igual que un pastor amoroso cuida de su rebaño. Les muestra el camino por donde deben andar, y ellos lo siguen con gusto. No tienen por qué tener miedo, aunque solo haya problemas a su alrededor. Un pastor utiliza su vara, o cayado, para proteger a las ovejas de los animales que podrían hacerles daño. La Biblia nos cuenta cómo el joven pastor David protegió a sus ovejas de un león y de un oso (1 Samuel 17:34-36). Y los siervos de Jehová saben que, de igual modo, Dios los protegerá a ellos. Pueden sentirse seguros porque Dios está con ellos.

Jehová ama de verdad a sus ovejas y las cuida con ternura. La Biblia dice: 'Como un pastor guiará a su propio rebaño. Con sus brazos juntará a los corderitos' (Isaías 40:11).

¿No te consuela saber que Jehová es así?... ¿Quieres ser una de sus ovejitas?... Las ovejas escuchan la voz de su pastor y se mantienen cerca de él. ¿Escuchas tú a Jehová?... ¿Te mantienes cerca de él?... Si lo haces, nunca tendrás por qué sentir miedo. Jehová estará contigo.

Jehová cuida amorosamente a sus siervos. Vamos a leer juntos cómo lo expresa la Biblia en Salmo 37:25; 55:22, y Lucas 12:29-31.

Igual que un pastor que protege a su rebaño, ¿quién nos ayuda cuando tenemos problemas?

CAPÍTULO 32

CÓMO SE PROTEGIÓ A JESÚS

A VECES Jehová hace cosas extraordinarias para proteger a quienes son jóvenes y no pueden cuidar de sí mismos. Si das un paseo por el campo, quizás observes algo similar a lo que Jehová hace, aunque al principio no comprendas bien lo que sucede.

Supongamos que vas caminando y ves a un ave que se posa en el suelo cerca de ti. Parece que está herida, porque arrastra una de las alas. Cuando intentas acercarte a ella, se aleja, y si la sigues, se aleja cada vez más. De repente, sale volando. En realidad no estaba herida. ¿Sabes lo que pasaba?...

Pues que cerca del lugar donde el ave se había posado, estaban sus crías ocultas entre los matorrales. La madre tenía miedo de que las encontraras y les hicieras daño. Por eso fingió que estaba herida y te alejó de allí. ¿Sabes quién puede protegernos igual que esa madre protege a sus crías?... En la Biblia, a Jehová se le compara con un ave llamada águila que cuida de sus polluelos (Deuteronomio 32:11, 12).

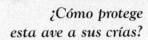

167

¿Cómo protege esta ave a sus crías?

Jesús es el hijo más amado de Jehová. Cuando vivía en el cielo, era un espíritu poderoso como su Padre y podía cuidarse solo. Pero cuando nació en la Tierra, era un bebé indefenso que necesitaba protección.

Para cumplir con la misión que Jehová le había asignado, Jesús tenía que crecer y convertirse en un adulto perfecto. Sin embargo, Satanás trató de matarlo antes de que eso sucediera. Es muy emocionante leer el relato sobre cómo intentó acabar con él cuando era niño y cómo Jehová lo protegió. ¿Te gustaría escucharlo?...

Poco después del nacimiento de Jesús, Satanás hizo que en el cielo del Oriente brillara una luz que parecía una estrella. Unos astrólogos, que son hombres que estudian las estrellas, la siguieron por cientos de kilómetros hasta llegar a Jerusalén. Allí preguntaron dónde tenía que nacer el que sería rey de los judíos.

Después que los astrólogos visitaron a Jesús, ¿qué advertencia les dio Jehová para salvar la vida del niño?

Luego se hizo la pregunta a unos hombres que conocían la respuesta que daba la Biblia, y estos dijeron: "En Belén" (Mateo 2: 1-6).

Cuando Herodes, el rey malvado que estaba en Jerusalén, se enteró de que el nuevo rey había nacido poco antes en la cercana ciudad de Belén, les dijo a los astrólogos: 'Busquen al niño, y cuando lo encuentren, vuelvan para avisarme'. ¿Sabes por qué quería Herodes encontrar a Jesús?... ¡Porque tenía celos de él y quería matarlo!

¿Cómo protegió Dios a su Hijo?... Después que los astrólogos hallaron a Jesús y le hicieron regalos, Dios les advirtió en un sueño que no volvieran a donde estaba Herodes. Por lo tanto, se fueron a su país por otro camino, sin pasar por Jerusalén. Cuando Herodes descubrió que los astrólogos se habían marchado, se enojó mucho. Como deseaba eliminar a Jesús, ordenó que mataran a todos los niños de Belén menores de dos años. Pero Jesús ya no estaba allí.

¿Sabes cómo logró salvarse?... Cuando los astrólogos se marcharon, Jehová le dijo a José, el esposo de María, que huyera a Egipto. Allí, Jesús estuvo a salvo del malvado Herodes. Años después, cuando María y José volvieron de Egipto con Jesús, Dios habló de nuevo con José. En un sueño le dijo que se fuera a Nazaret, donde el niño no correría peligro (Mateo 2:7-23).

¿Cómo se volvió a salvar Jesús?

¿Entiendes cómo protegió Jehová a su Hijo?... ¿Quién piensas que es como aquellas crías que la madre ocultaba en los matorrales? ¿O como Jesús cuando era pequeño? ¿No eres tú así?... También a ti hay quienes desean hacerte daño. ¿Sabes quiénes son?...

La Biblia dice que Satanás es como un león rugiente que nos quiere comer. Igual que los leones a menudo escogen a los animales pequeños para atacarlos, Satanás y sus demonios muchas veces escogen a los niños (1 Pedro 5:8). Pero Jehová es más poderoso que Satanás y puede proteger a los niños que le sirven o remediar cualquier cosa mala que Satanás les haga.

Según vimos en el capítulo 10 de este libro, ¿qué quieren el Diablo y sus demonios que hagamos?... Desean que tengamos el tipo de relaciones sexuales que Dios considera malas, o inmorales. ¿Recuerdas quiénes son los únicos que pueden tener relaciones sexuales?... Un hombre y una mujer que estén casados.

Pero, por desgracia, hay adultos a los que les gusta tener relaciones sexuales con niños. A veces, esos niños hacen las cosas malas que han aprendido de los adultos, y usan sus órganos sexuales de forma inmoral. Así ocurrió hace mucho tiempo en la ciudad de Sodoma. La Biblia dice que sus habitantes, "*desde el muchacho* hasta el viejo", intentaron tener relaciones sexuales con los hombres que habían ido a visitar a Lot (Génesis 19:4, 5).

Igual que Jesús necesitó protección, tú también necesitas que se te proteja de los adultos —e incluso de otros niños— que quieran tener relaciones sexuales contigo. Normalmente, esas personas fingen que son tus amigos. Quizás te ofrezcan algo si prometes no decirle nada a nadie. Pero son egoístas, como Satanás y sus demonios. Solo buscan su propio placer, y su forma de conseguirlo es teniendo relaciones sexuales con niños. *¡Eso está muy mal!*

¿Qué debes decir y hacer si alguien intenta tocarte de forma inmoral?

¿Sabes qué hacen para sentir placer?... Puede que intenten frotar o acariciar tus órganos sexuales, o que incluso froten sus órganos sexuales contra los tuyos. Pero nunca debes permitir que nadie juegue con tu pene o con tu vulva. Ni siquiera tu propio hermano o hermana, ni tu padre o madre. *Estas partes de tu cuerpo son íntimas.*

¿Cómo puedes proteger tu cuerpo de las personas que hacen cosas inmorales?... En primer lugar, no dejes que nadie juegue con tus órganos sexuales. Si alguien trata de hacerlo, dile con voz fuerte y firme: *"¡No me toques! ¡Te voy a acusar!"*. Y si esa persona dice que lo que ocurrió es culpa tuya, no le creas. Es mentira. Vete y cuenta lo que hizo sin importar quién sea. Debes contarlo aunque te diga que lo que hacen él y tú juntos es un secreto entre los dos. Aunque te prometa hacerte bonitos regalos o te amenace, debes alejarte de esa persona y contar lo que ha hecho.

No tienes por qué sentir miedo, pero sí debes tener cuidado. Cuando tus padres te adviertan que algunas personas o lugares podrían ser peligrosos para ti, debes hacerles caso. De ese modo evitarás que alguien malo tenga la oportunidad de hacerte daño.

Vamos a leer cómo puedes protegerte de actos inmorales en Génesis 39:7-12; Proverbios 4:14-16; 14:15, 16; 1 Corintios 6:18, y 2 Pedro 2:14.

CAPÍTULO 33

JESÚS PUEDE PROTEGERNOS

CUANDO Jesús creció y supo cómo Jehová lo había protegido en su niñez, ¿piensas que le oró para darle las gracias?... ¿Qué crees que les dijo a María y José al enterarse de que le habían salvado la vida llevándolo a Egipto?...

Por supuesto, Jesús ya no es un bebé y tampoco vive en la Tierra como entonces. Sin embargo, ¿te has dado cuenta de que en nuestros días parece que para algunas personas Jesús solo es un bebé acostado en un pesebre?... En muchos lugares se representa a Jesús de esa manera, sobre todo durante la época de Navidad.

Aunque Jesús ya no está en la Tierra, ¿crees que sigue vivo?... Sí, Dios lo resucitó, y ahora es un Rey poderoso en el cielo. Pero ¿cómo piensas que puede proteger a sus siervos?... Cuando Jesús vivía en la Tierra, demostró que podía proteger a quienes lo amaban. Veamos cómo lo hizo en cierta ocasión, mientras estaba en una barca con sus discípulos.

Era casi de noche. Jesús había pasado todo el día enseñando al lado del mar de Galilea, que es un gran lago

¿Qué es Jesús para ti: un rey poderoso, o un bebé indefenso?

de unos veinte kilómetros de largo y doce kilómetros de ancho. Entonces les dijo a sus discípulos: "Pasemos al otro lado del lago". Así que se subieron a una barca y comenzaron a cruzarlo. Jesús estaba tan cansado que se fue a la parte de atrás y se acostó sobre una almohada. Enseguida se durmió profundamente.

Los discípulos se quedaron despiertos para mantener el rumbo de la barca. Todo iba bien hasta que, de repente, se levantó un viento fuerte. Cada vez soplaba con más furia, y el mar se agitaba más y más. Las olas daban contra la barca, y esta empezó a llenarse de agua.

Los discípulos tenían miedo de que la barca se hundiera. Mientras tanto, Jesús seguía durmiendo tranquilamente en la parte de atrás. Por fin, los discípulos lo despertaron y le dijeron: 'Maestro, Maestro, sálvanos, vamos a morir en esta tormenta'. Al oír aquello, Jesús se levantó y les ordenó al viento y al mar: '¡Silencio! ¡Cállense!'.

El viento dejó de soplar de inmediato, y el mar se

¿Qué les está diciendo Jesús al viento y al mar?

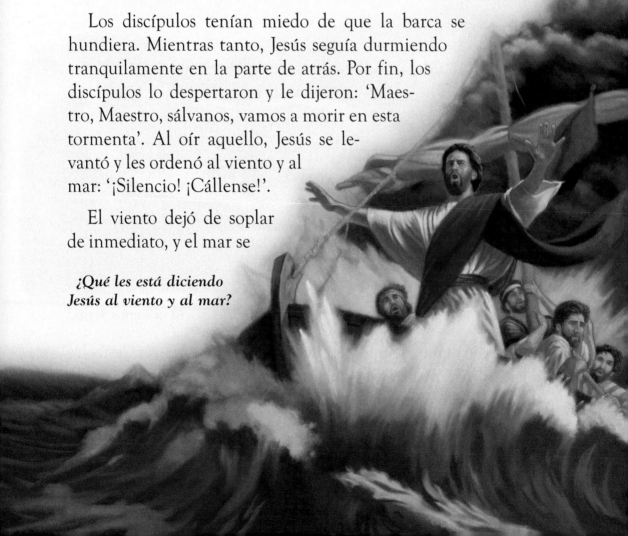

calmó. Los discípulos estaban sorprendidos, pues nunca antes habían visto nada igual. Se decían unos a otros: "¿Quién, realmente, es este, porque ordena hasta a los vientos y al agua, y le obedecen?" (Lucas 8:22-25; Marcos 4:35-41).

Y tú, ¿sabes quién es Jesús?... ¿De dónde le viene su gran poder?... Los discípulos no deberían haber tenido miedo mientras Jesús estaba con ellos, pues él no era un hombre como los demás. Podía hacer cosas maravillosas que resultaban imposibles para cualquier otra persona. Voy a contarte algo que hizo durante otra tormenta parecida.

¿Por qué hacía milagros Jesús?

Sucedió algún tiempo después. Un día, al atardecer, Jesús les dijo a sus discípulos que tomaran una barca, cruzaran hasta la otra orilla y lo esperaran allí. Entonces se marchó solo a la montaña, pues era un lugar tranquilo donde podía orar a su Padre, Jehová Dios.

Los discípulos se subieron a la barca y comenzaron a navegar. Sin embargo, al rato empezó a soplar el viento, cada vez con más fuerza. Ya se había hecho de noche. Los hombres recogieron la vela y se pusieron a remar, pero no avanzaban mucho porque el fuerte viento soplaba en dirección contraria. La barca subía y bajaba entre grandes olas, y le seguía entrando más y más agua. Los discípulos luchaban por llegar a la orilla, pero no lo conseguían.

Jesús llevaba ya bastante rato a solas en la montaña. Entonces, cuando vio que sus amigos estaban en peligro en medio del gran oleaje, bajó hasta la orilla del mar. Como quería ayudarlos, comenzó a caminar hacia ellos sobre el mar agitado.

¿Qué pasaría si tú intentaras caminar sobre el agua?... Te hundirías y podrías ahogarte. Pero Jesús es diferente porque tiene poder especial. Para llegar hasta la barca, tuvo que recorrer una gran distancia. Por eso, cuando los discípulos lo vieron acercarse caminando sobre las aguas, ya casi había amanecido. Los hombres no podían creer lo que veían. Se asustaron tanto que se pusieron a gritar. Entonces, Jesús les dijo: "Cobren ánimo, soy yo; no tengan temor".

En cuanto Jesús se subió a la barca, la tormenta se detuvo. Los discípulos estaban sorprendidos de nuevo. Se inclinaron ante Jesús y le dijeron: "Verdaderamente eres Hijo de Dios" (Mateo 14: 22-33; Juan 6:16-21).

¿No habría sido maravilloso vivir en aquella época y ver cómo Jesús hacía esos milagros?... ¿Sabes por qué los hizo?... Porque amaba a sus discípulos y quería ayudarlos. Además, quiso mostrar el gran poder que tenía entonces y que utilizaría en el futuro como Gobernante del Reino de Dios.

Hoy en día, Jesús también emplea su poder a menudo para proteger a sus seguidores cuando Satanás trata de impedir que hablen a otras personas del Reino de Dios. Sin embargo, no lo usa para evitar que sus discípulos se enfermen ni para curarlos. Hasta los apóstoles de Jesús murieron con el tiempo. Santiago, el hermano de Juan, fue asesinado, y a Juan lo metieron en prisión (Hechos 12:2; Revelación [Apocalipsis] 1:9).

En nuestros días ocurre lo mismo. Sin importar si sirven a Jehová o no, todas las personas se enferman y mueren. Pero pronto, cuando Jesús gobierne como Rey del Reino de Dios, todo será diferente. Nadie tendrá motivos para sentir temor nunca más, porque Jesús utilizará su poder para bendecir a todos los que le obedezcan (Isaías 9:6, 7).

¿Cómo protege Jesús a sus seguidores hoy en día?

Otros textos que muestran el gran poder de Jesús, a quien Dios ha hecho Gobernante de su Reino, son Daniel 7:13, 14; Mateo 28:18, y Efesios 1:20-22.

CAPÍTULO 34

¿QUÉ LE SUCEDE A LA GENTE CUANDO MUERE?

DE SEGURO sabes que las personas envejecen, se enferman y mueren. Incluso algunos niños mueren. ¿Deberías tener miedo a la muerte o a los muertos?... ¿Sabes qué le sucede a la gente cuando muere?...

Es cierto que en la actualidad no hay nadie que haya vuelto a vivir después de muerto y pueda explicarnos lo que sucede. Pero cuando Jesús, el Gran Maestro, vivía en la Tierra, hubo un hombre al que sí le pasó eso. Si leemos su historia, entenderemos qué les ocurre a las personas cuando mueren. Se trataba de un amigo de Jesús que vivía en Betania, un pueblo no muy lejos de Jerusalén. Se llamaba Lázaro y tenía dos hermanas, Marta y María. Veamos lo que la Biblia dice que pasó.

En cierta ocasión, Lázaro se puso muy enfermo. Como Jesús estaba lejos en aquel momento, Marta y María le enviaron un mensajero para decírselo. Avisaron a Jesús porque sabían que él podía venir y curar a su hermano. Jesús no era médico, pero Dios le había dado poder para curar todo tipo de enfermedades (Mateo 15:30, 31).

Sin embargo, antes de que Jesús llegara, Lázaro se puso peor y murió. Jesús les dijo a sus discípulos que Lázaro estaba dormido y que iba allá para despertarlo. Ellos no comprendían lo que Jesús quería decir, así que él les indicó claramente: "Lázaro ha muerto". ¿Qué muestran estas palabras?... Que la muerte es como un sueño profundo, tan profundo que la persona ni siquiera sueña.

Jesús se puso en camino hacia la casa de Marta y María. Allí ya se habían reunido muchos amigos de la familia para consolarlas por la muerte de su hermano. Cuando Marta se enteró de que Jesús se acercaba, salió a encontrarse con él. Poco después, María también llegó, triste y llorando, a donde estaba el Gran Maestro y cayó a sus pies. Otros amigos que la habían acompañado también estaban llorando.

Jesús preguntó dónde habían puesto a Lázaro. Entonces lo llevaron a la tumba, que estaba en una cueva. Cuando Jesús vio que todos estaban llorando, él también empezó a llorar, pues sabía el dolor que se siente al perder a un ser querido en la muerte.

Como había una piedra tapando la entrada de la cueva, Jesús dijo: "Quiten la piedra". ¿Debían hacerlo?... Marta pensaba que no era una buena idea y dijo: "Señor, ya debe oler mal, porque hace cuatro días".

Sin embargo, Jesús le contestó: "¿No te dije que si creías habrías de ver la gloria de Dios?". Jesús se refería a que Marta iba a ver algo que daría honra a Dios. ¿Qué iba a hacer Jesús? Cuando quitaron la piedra, Jesús oró en voz alta a Jehová y después gritó: "¡Lázaro, sal!". ¿Saldría de allí? ¿Podría hacerlo?...

¿Puedes despertar a alguien que está dormido?... Sí, si lo llamas con voz fuerte. Pero ¿puedes despertar a alguien que está dormido en la muerte?... No. Por muy fuerte que llames a una persona muerta, no te escuchará. No hay nada que tú, yo o cualquier otro ser humano podamos hacer para despertar a un muerto.

Pero el caso de Jesús es distinto, porque Dios le ha dado poder especial. Por eso, cuando Jesús llamó a Lázaro, sucedió algo asombroso. El hombre que llevaba muerto cuatro días salió de la cueva. ¡Había vuelto a vivir! Podía respirar, andar y hablar de nuevo. Sí, Jesús despertó a Lázaro de la muerte (Juan 11:1-44).

¿Qué hizo Jesús por Lázaro?

Ahora piensa por un momento: ¿qué le ocurrió a Lázaro cuando murió? ¿Hubo alguna parte de él —un alma o un espíritu— que saliera de su cuerpo y fuera a vivir a otro lugar? ¿Se fue el alma de Lázaro al cielo? ¿Estuvo vivo durante cuatro días en el cielo con Dios y los santos ángeles?...

No. Recuerda que Jesús dijo que Lázaro estaba dormido. ¿Qué sucede cuando duermes? Si el sueño es muy profundo, no te enteras de lo que pasa a tu alrededor, ¿verdad?... Y al despertarte, tampoco sabes cuánto tiempo has estado durmiendo hasta que miras el reloj.

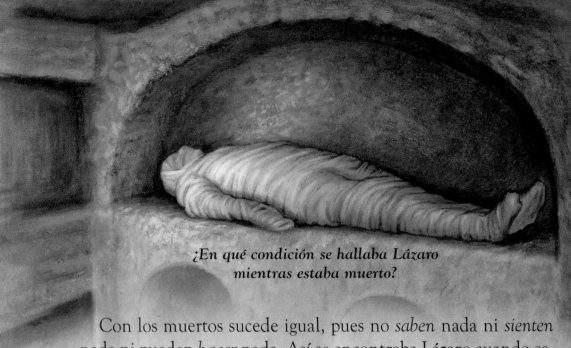

*¿En qué condición se hallaba Lázaro
mientras estaba muerto?*

Con los muertos sucede igual, pues no *saben* nada ni *sienten* nada ni pueden *hacer* nada. Así se encontraba Lázaro cuando estaba muerto. La muerte es como un sueño profundo del que la persona no recuerda nada. La Biblia dice: "En cuanto a los muertos, ellos no tienen conciencia de nada en absoluto" (Eclesiastés 9:5, 10).

Además, piensa en esto: si Lázaro hubiera estado en el cielo aquellos cuatro días, ¿no lo habría contado?... ¿Y crees que Jesús lo habría obligado a dejar aquel lugar maravilloso para regresar a la Tierra?... ¡Por supuesto que no!

Sin embargo, muchas personas dicen que *tenemos* un alma y que esta continúa viviendo después de la muerte del cuerpo. Según ellas, el alma de Lázaro siguió viva en algún lugar. Pero la Biblia no dice eso; explica que Dios hizo al primer hombre, Adán, un "alma viviente". Adán *era* un alma. Las Escrituras también enseñan que cuando él pecó, murió. Se convirtió en un "alma muerta" y volvió al polvo del que había sido formado. La Biblia dice, además, que todos sus descendientes heredaron el pecado y la muerte (Génesis 2:7; 3:17-19; Números 6:6; Romanos 5:12).

180

Está claro, pues, que no *tenemos* un alma separada del cuerpo. Cada uno de nosotros *es* un alma. Y la Biblia explica lo que nos sucede por haber heredado el pecado de Adán, el primer hombre. Dice: 'El alma que peca morirá' (Ezequiel 18:4).

Algunas personas tienen miedo a los muertos. No se acercan a los cementerios porque piensan que las almas de los muertos andan separadas de sus cuerpos y pueden hacer daño a los vivos. Pero ¿es cierto eso?... No, no lo es.

Hay quienes piensan incluso que los muertos pueden regresar en forma de espíritus para visitar a los vivos. Por eso les dejan comida. Pero la gente que hace eso no cree de verdad lo que Dios dice sobre los muertos. Si nosotros sí lo creemos, no tendremos miedo a los muertos. Y si realmente nos sentimos agradecidos a Dios por la vida, lo demostraremos haciendo las cosas que él aprueba.

Pero quizás te preguntes: "¿Les devolverá Dios la vida a los niños que han muerto? ¿*Querrá* hacerlo?". Hablaremos de eso en el siguiente capítulo.

Vamos a leer más textos bíblicos que indican en qué condición están los muertos y que el hombre es un alma: Salmo 115:17; 146:3, 4, y Jeremías 2:34.

¿Por qué no hay razón para tener miedo a los muertos?

CAPÍTULO 35

PODEMOS DESPERTAR
DE LA MUERTE

SI NOS morimos, *¿querrá* Dios resucitarnos, es decir, devolvernos la vida?... Un hombre bueno llamado Job creía que sí. Por eso, cuando pensó que estaba a punto de morir, le dijo a Dios: "Tú llamarás, y yo mismo te responderé". Job dijo que Jehová Dios *anhelaría* resucitarlo, lo desearía muchísimo (Job 14:14, 15).

Jesús es como Jehová Dios, su Padre. También *quiere* ayudarnos. Cuando un leproso le dijo: "Si tan solo *quieres*, puedes limpiarme", Jesús contestó: "*Quiero*", y le curó la lepra (Marcos 1:40-42).

Jesús aprendió de su Padre a amar a los niños. Hace mucho tiempo, Jehová resucitó a dos niños por medio de sus siervos. Elías le suplicó a Jehová que resucitara al hijo de una mujer que había sido muy bondadosa con él, y Jehová lo hizo. Dios también utilizó a su siervo Eliseo para resucitar a otro niño (1 Reyes 17:17-24; 2 Reyes 4:32-37).

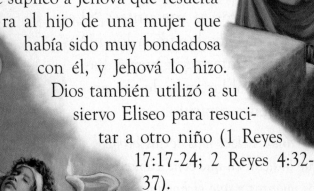

*¿Cómo demostró
Jehová que amaba
a los niños?*

¿No es maravilloso saber que Jehová nos ama tanto?... No solo piensa en nosotros cuando estamos vivos. También nos recuerda si morimos. Jesús incluso dijo que, para el Padre, cuando un amado siervo suyo muere, es como si siguiera vivo (Lucas 20:38). La Biblia asegura que 'ni la muerte, ni la vida, ni las cosas presentes ni las futuras podrán separarnos del amor de Dios' (Romanos 8:38, 39).

Cuando Jesús vivía en la Tierra, mostró que Jehová se interesa por los niños. Recordarás que Jesús dedicó tiempo a hablar con ellos sobre Dios. Pero ¿sabías que Jehová le dio a Jesús el poder de resucitar a niños que habían muerto?... Vamos a hablar de cuando Jesús resucitó a la hija de doce años de un hombre llamado Jairo.

Jairo vivía con su esposa y su única hija cerca del mar de Galilea. Un día, la muchacha se puso muy enferma, y Jairo se dio cuenta de que se estaba muriendo. Entonces se acordó de Jesús, aquel hombre maravilloso que, según había oído, podía curar a los enfermos. Así que se fue a buscarlo y lo encontró a la orilla del mar de Galilea enseñando a una muchedumbre.

Jairo se abrió paso entre la gente, cayó a los pies de Jesús y le dijo: 'Mi hijita está muy enferma. ¿Puedes ir a ayudarla? Por favor, te suplico que me acompañes'. Jesús se marchó con Jairo de inmediato. La muchedumbre que había ido a ver al Gran Maestro también los siguió. Pero cuando habían recorrido parte del camino, se encontraron con unos hombres que venían de la casa de Jairo y que le dijeron a este: "¡Tu hija murió! ¿Por qué molestar ya al maestro?".

Jesús oyó aquellas palabras. Como sabía lo triste que era para Jairo perder a su única hija, le dijo: 'No temas. Solo ten fe

¿Qué aprendemos de que Jesús resucitara a la hija de Jairo?

en Dios, y tu hija se pondrá bien'. Entonces siguieron adelante hasta llegar a la casa de Jairo. Los amigos de la familia allí reunidos estaban llorando porque la niña había muerto. Jesús les dijo: 'Dejen de llorar. La niña no ha muerto, sino que está dormida'.

Cuando Jesús dijo aquello, la gente comenzó a burlarse, porque sabía que la niña había muerto. ¿Por qué dijo Jesús que estaba durmiendo?... ¿Qué lección crees que deseaba enseñar a aquellas personas?... Quería que supieran que la muerte es como un sueño profundo. Quería enseñarles que, con el poder de Dios, era capaz de resucitar a una persona con tanta facilidad como si la despertara de un sueño.

Jesús hizo salir a todo el mundo de la casa, menos a los padres de la niña y a los apóstoles Pedro, Santiago y Juan. Después entró donde estaba ella, la tomó de la mano y le dijo: "Muchacha, ¡levántate!". La niña se levantó enseguida y comenzó a caminar. Su padre y su madre se pusieron contentísimos (Marcos 5:21-24, 35-43; Lucas 8:40-42, 49-56).

Piensa en esto: si Jesús pudo devolverle la vida a aquella niña, ¿podrá hacer lo mismo por otros?... ¿Crees que de verdad lo hará?... Sí. Jesús mismo dijo: 'Viene la hora en que todos los que están en las tumbas conmemorativas oirán mi voz y saldrán' (Juan 5:28, 29).

¿Crees que Jesús *quiere* resucitar a las personas?... Otro ejemplo bíblico nos ayuda a contestar esa pregunta. Lo que ocurrió en cierta ocasión cerca de la ciudad de Naín muestra qué siente Jesús hacia las personas que lloran por la muerte de seres queridos.

Una muchedumbre salía de la ciudad de Naín para enterrar el cuerpo sin vida de un joven. La madre del muchacho se sentía muy triste. Su esposo había muerto algún tiempo antes, y ahora su *único* hijo también estaba muerto. Muchos de sus vecinos se habían unido a ella. La mujer estaba llorando, y la gente no podía hacer nada para consolarla.

Aquel día, dio la casualidad de que Jesús y sus discípulos se dirigían a Naín. Al acercarse a la puerta de la ciudad, se encontraron con la multitud que iba al entierro del muchacho. Cuando Jesús vio a la madre llorando, sintió compasión por ella. Su corazón se conmovió por la gran tristeza de la mujer, y quiso ayudarla.

Por eso, con ternura pero a la vez con firmeza, le dijo: "Deja de llorar". La actitud de Jesús hizo que todo el mundo lo mirara con interés. Cuando Jesús se acercó al cuerpo, todos se estarían preguntando qué iba a hacer. Jesús ordenó: "Joven, yo te digo: ¡Levántate!". El muchacho se levantó de inmediato y comenzó a hablar (Lucas 7:11-17).

Imagínate cómo debe haberse sentido la mujer. ¿Cómo te sentirías tú si alguien muy querido que hubiera muerto volviera a la vida?... ¿No demuestra lo que hizo Jesús que él ama de verdad a las personas y *quiere* ayudarlas?... Piensa en lo maravilloso que será darles la bienvenida a los que resuciten en el nuevo mundo de Dios (2 Pedro 3:13; Revelación [Apocalipsis] 21:3, 4).

Algunos de los resucitados serán personas que ya conocíamos, y habrá niños entre ellos. Los reconoceremos igual que Jairo reconoció a su hija cuando Jesús la resucitó. Otros serán personas que murieron hace cientos o miles de años. Pero, aunque haya pasado tanto tiempo, Dios no los olvidará.

¿No es maravilloso saber que Jehová Dios y su Hijo, Jesús, nos aman tanto?... Ellos quieren que vivamos no solo unos cuantos años, sino para siempre.

Encontramos la maravillosa esperanza que ofrece la Biblia para los muertos en Isaías 25:8; Hechos 24:15, y 1 Corintios 15:20-22.

**¿Qué demuestra la resurrección
del hijo único de esta mujer?**

CAPÍTULO 36

¿QUIÉNES RESUCITARÁN?
¿DÓNDE VIVIRÁN?

EN LOS dos capítulos anteriores hablamos de la resurrección de varias personas. ¿Cuántas eran?... Cinco. ¿Y cuántos eran niños?... Tres, y otro era un joven. ¿Qué crees que nos enseña eso?...

Nos enseña que Dios ama a los niños y a los jóvenes. Pero también resucitará a muchas otras personas. ¿Será solo a las que hicieron cosas buenas?... Quizás pensemos que sí. Sin embargo, un gran número de personas nunca conocieron la verdad sobre Jehová Dios y su Hijo. Hicieron lo malo porque eso fue lo que les enseñaron. ¿Crees que Jehová las resucitará a ellas también?...

La Biblia dice: "Va a haber resurrección así de justos como de injustos" (Hechos 24:15). ¿Por qué se resucitará a los que *no* fueron justos o *no* hicieron lo bueno?... Porque nunca tuvieron la oportunidad de aprender sobre Jehová ni sobre lo que él quiere que hagamos.

¿Por qué resucitará Dios a algunas personas que no hicieron lo bueno?

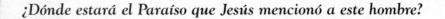

¿Y cuándo crees que ocurrirá la resurrección?... Piensa en lo siguiente: cuando Lázaro murió, Jesús le prometió a su hermana Marta: "Tu hermano se levantará", y ella le contestó: "Yo sé que se levantará en la resurrección en el último día" (Juan 11:23, 24). ¿Qué quería decir Marta con que Lázaro se levantaría en "el último día"?...

Marta había escuchado la siguiente promesa de Jesús: 'Todos los que están en las tumbas conmemorativas saldrán' (Juan 5: 28, 29). "El último día" es aquel en que se devolverá la vida a todos los que están en la memoria de Dios. No se trata de un día de veinticuatro horas, sino de un período de mil años. La Biblia dice que en aquel día 'Dios juzgará a los habitantes de la tierra', y entre ellos estarán los resucitados (Hechos 17:31; 2 Pedro 3:8).

Imagínate lo maravilloso que será ese día. A lo largo de sus mil años de duración resucitarán muchos millones de personas que han muerto. Jesús llamó Paraíso al lugar donde vivirán los resucitados. ¿Dónde estará el Paraíso, y cómo será? Veamos.

Unas tres horas antes de que Jesús muriera en el madero, habló sobre el Paraíso con un hombre que estaba clavado en otro madero junto al suyo. El hombre era un malhechor que había cometido varios delitos, y lo habían condenado a muerte. Pero después de observar a Jesús y escuchar lo que decían de él, empezó a creerle, así que le pidió: "Acuérdate de mí cuando entres en tu reino". Jesús le contestó: "Verdaderamente te digo hoy: Estarás conmigo en el Paraíso" (Lucas 23:42, 43).

¿Qué quiso decir Jesús con aquellas palabras? ¿Dónde está el Paraíso?... Piensa en esto: ¿dónde estuvo el Paraíso en un principio?... Recuerda que Dios puso al primer hombre, Adán, y a su

Cuando leemos sobre el Paraíso, ¿qué debemos imaginarnos?

esposa en un paraíso situado aquí en la Tierra. Se llamaba el jardín de Edén. En ese jardín había animales, pero no le hacían daño a nadie. También había árboles llenos de frutas deliciosas, así como un gran río. Era un lugar maravilloso donde vivir (Génesis 2:8-10).

Por lo tanto, cuando leemos que el malhechor estará en el Paraíso, debemos imaginarnos esta Tierra convertida en un lugar hermoso donde vivir. ¿Estará Jesús entonces en el Paraíso aquí en la Tierra con aquel hombre que antes fue un malhechor?... No. ¿Sabes por qué no?...

Porque Jesús estará en el cielo reinando desde allí sobre el Paraíso terrestre. Jesús estará con aquel hombre en el sentido de que lo resucitará y se ocupará de sus necesidades. Pero ¿por qué permitirá que alguien que fue un malhechor viva en el

Paraíso?... Vamos a ver si podemos averiguarlo.

Antes de que el hombre hablara con Jesús, ¿conocía los propósitos de Dios?... No, no los conocía. Hizo cosas malas porque no sabía cuál era la verdad sobre Dios. Pero en el Paraíso se le enseñará lo que Jehová se propone hacer para los seres humanos y tendrá la oportunidad de demostrar que realmente ama a Dios haciendo Su voluntad.

¿Dónde vivirán los resucitados, y qué harán?

¿Vivirán en el Paraíso terrestre todos los resucitados?... No. ¿Sabes por qué no?... Porque algunos resucitarán para vivir con Jesús en el cielo. Reinarán con él sobre la Tierra convertida en un paraíso. Veamos cómo lo sabemos.

La noche antes de morir, Jesús les dijo a sus apóstoles: 'En la casa de mi Padre en el cielo hay mucho espacio, y voy allá a prepararles un lugar'. Entonces les prometió: 'Vengo otra vez y los recibiré en casa, para que donde yo estoy también estén ustedes' (Juan 14:2, 3).

¿Adónde fue Jesús después de resucitar?... Volvió al cielo junto a su Padre (Juan 17:4, 5). De modo que Jesús prometió a sus apóstoles y otros discípulos que los resucitaría para que estuvieran con él en el cielo. ¿Qué harán allí?... La Biblia dice que estos discípulos que tendrían parte en "la primera resurrección" vivirán en el cielo "y reinarán con él por los mil años" sobre la Tierra (Revelación [Apocalipsis] 5:10; 20:6; 2 Timoteo 2:12).

¿Cuántos participarán en "la primera resurrección" y reinarán con Jesús?... El Gran Maestro les dijo a sus discípulos: "No teman, *rebaño pequeño,* porque su Padre ha aprobado darles el reino" (Lucas 12:32). Ese "rebaño pequeño" está compuesto de un número exacto de personas de la Tierra que resucitan para estar con Jesús en su Reino celestial. La Biblia muestra que son "ciento cuarenta y cuatro mil" (Revelación 14:1, 3).

¿Cuántas personas vivirán en el Paraíso terrestre?... La Biblia no lo menciona. Pero Dios les dijo a Adán y Eva mientras estaban en el jardín de Edén que tuvieran hijos y *llenaran la Tierra.* Aunque ellos no lo consiguieron, Dios se encargará de que se cumpla su propósito de llenar la Tierra con gente buena (Génesis 1:28; Isaías 45:18; 55:11).

Piensa en lo maravilloso que será vivir en el Paraíso. Toda la Tierra se parecerá a un hermoso parque, pues habrá árboles y flores de todo tipo y abundarán las aves y demás animales. Nadie sentirá dolor por estar enfermo y tampoco tendrá que morir nadie. Todos serán amigos. Si queremos vivir para siempre en el Paraíso, ahora es el momento de prepararnos para ello.

Vamos a leer más sobre el propósito de Dios para la Tierra en Proverbios 2:21, 22; Eclesiastés 1:4; Isaías 2:4; 11:6-9; 35:5, 6, y 65:21-24.

CAPÍTULO 37

RECORDEMOS A JEHOVÁ Y A SU HIJO

IMAGÍNATE que alguien te hace un regalo maravilloso. ¿Cómo te sentirías?... ¿Tan solo le darías las gracias a quien te lo hizo y entonces te olvidarías de él? ¿O recordarías a esa persona y su regalo?...

Jehová Dios nos hizo un regalo maravilloso. Envió a su Hijo a la Tierra para que muriera por nosotros. ¿Sabes por qué tuvo que morir Jesús por nosotros?... Se trata de un asunto muy importante que debemos entender bien.

Como aprendimos en el capítulo 23, Adán pecó cuando desobedeció la ley perfecta de Dios. Y nosotros hemos heredado el pecado de Adán, el padre de toda la humanidad. ¿Qué crees entonces que necesitamos?... Necesitamos, por decirlo así, un nuevo padre, alguien que haya vivido una vida perfecta en la Tierra. ¿Quién crees que puede ser esa persona?... Jesús.

Jehová envió a Jesús a la Tierra para que se convirtiera en un padre para nosotros en vez de Adán. La Biblia explica: "'El primer hombre, Adán, llegó a ser alma viviente'. El último Adán llegó a ser un espíritu dador de vida". ¿Quién fue el primer Adán?... El hombre que Dios creó del polvo del suelo. ¿Quién es el segundo Adán?... Jesús. La Biblia lo muestra al decir: "El primer hombre [Adán] procede de la tierra y es hecho de polvo; el segundo hombre [Jesús] *procede del cielo*" (1 Corintios 15: 45, 47; Génesis 2:7).

Dios tomó la vida de Jesús del cielo y la puso dentro de la mujer llamada María. Por eso Jesús no heredó el pecado de Adán, sino que fue un humano perfecto (Lucas 1:30-35). También por ese motivo un ángel les dijo a los pastores cuando nació Jesús: "Les ha nacido hoy un Salvador" (Lucas 2:11). Pero para que ese bebé llegara a ser nuestro Salvador, ¿qué debía ocurrir primero?... Tenía que crecer y convertirse en un hombre adulto, igual que Adán. Entonces podría ser 'el segundo Adán'.

Jesús, nuestro Salvador, se convertirá, además, en nuestro "Padre Eterno", como lo llama la Biblia (Isaías 9:6, 7). Así es, Jesús, que fue un hombre *perfecto,* puede llegar a ser nuestro padre en vez de Adán, quien se volvió imperfecto cuando pecó. De este modo, nosotros podemos escoger al 'segundo Adán' para que sea nuestro padre. Por supuesto, el propio Jesús tiene un Padre, Jehová Dios.

Cuando llegamos a conocer a Jesús, lo aceptamos como nuestro Salvador. ¿Recuerdas de qué se nos tiene que salvar?... Del pecado y la muerte que heredamos de Adán. La vida de hombre perfecto que Jesús sacrificó, o dio, por nosotros recibe el nombre de *rescate.* Jehová suministró el rescate para que se borraran nuestros pecados (Mateo 20:28; Romanos 5:8; 6:23).

No queremos olvidar nunca lo que Dios y su Hijo han hecho por nosotros, ¿verdad?... Jesús les mostró a sus

¿En qué se parecieron Adán y Jesús, y por qué era eso muy importante?

¿Cómo protegió la sangre del cordero a los israelitas?

seguidores una forma especial de recordar lo que él hizo. Vamos a ver cuál fue.

Imagínate que estás en una habitación del piso de arriba de una casa de Jerusalén. Es de noche. Jesús y sus apóstoles están sentados ante una mesa en la que hay cordero asado, panes de forma aplanada y vino tinto. Están tomando una cena especial. ¿Sabes por qué?...

Esta cena sirve para recordarles lo que Jehová hizo cientos de años antes cuando Su pueblo, los israelitas, eran esclavos en Egipto. En aquella ocasión, Jehová le dijo al pueblo: 'Maten un cordero por fa-

¿Qué puede hacer por nosotros la sangre de Jesús, que él comparó con vino?

milia y salpiquen su sangre sobre el marco de la puerta de sus casas'. Entonces les dijo: 'Entren en sus casas y coman el cordero'.

Los israelitas lo hicieron, y aquella misma noche, el ángel de Dios pasó por Egipto. En la mayoría de las casas, el ángel mató al primer hijo. Pero cuando veía la sangre de cordero en el marco de la puerta de alguna casa, la pasaba por alto y allí no moría ningún niño. Faraón, el rey de Egipto, se asustó tanto por lo que había hecho el ángel de Jehová, que les dijo a los israelitas: 'Pueden marcharse. ¡Salgan de Egipto!'. De modo que cargaron sus pertenencias sobre sus camellos y asnos, y se marcharon.

Jehová no quería que su pueblo olvidara cómo los había liberado. Por eso dijo: 'Una vez al año tienen que tomar una cena como la de esta noche'. Esa cena especial, a la que llamaron Pascua, les haría recordar que aquella noche el ángel de Dios "pasó por alto" las casas marcadas con sangre (Éxodo 12:1-13, 24-27, 31).

Jesús y sus apóstoles pensaron en aquel suceso cuando tomaron la cena de la Pascua. Al terminar, Jesús hizo algo muy importante. Pero antes, Judas, el apóstol traidor, se marchó. Entonces Jesús tomó uno de los panes que habían sobrado y, después de hacer una oración, lo partió y se lo pasó a sus discípulos. Les dijo: "Tomen, coman". Entonces les explicó: 'Este pan significa mi cuerpo que daré cuando muera por ustedes'.

A continuación, Jesús tomó una copa de vino tinto. Después de hacer otra oración de gracias, les dio la copa diciendo: "Beban de ella, todos ustedes". Y añadió: 'Este vino significa mi sangre, que pronto derramaré para librarlos de sus pecados. Sigan haciendo esto en memoria de mí' (Mateo 26:26-28; 1 Corintios 11:23-26).

¿Te fijaste en que Jesús dijo que sus discípulos debían seguir haciendo aquello en memoria de él?... A partir de entonces, en vez de celebrar la Pascua, celebrarían una vez al año esta cena especial para recordar a Jesús, así como su muerte. Esa comida especial se llama la Cena del Señor. Hoy día la llamamos también la Conmemoración. ¿Por qué?... Porque sirve para conmemorar o recordar lo que Jesús y su Padre, Jehová Dios, hicieron por nosotros.

El pan debe hacernos pensar en el cuerpo de Jesús, que él estuvo dispuesto a sacrificar para que pudiéramos tener vida eterna. ¿Y el vino tinto?... El vino debe recordarnos el valor de la sangre de Jesús. Su sangre es más valiosa que la del cordero de la Pascua de Egipto. ¿Sabes por qué?... La Biblia dice que, gracias a la sangre de Jesús, se nos perdonan los pecados. Y cuando todos los pecados sean borrados, ya nadie enfermará, envejecerá, ni morirá. Debemos pensar en esto durante la Conmemoración.

¿Deben comer del pan y beber del vino todos los que asisten a la Conmemoración?... Jesús dijo a los que toman del pan y del vino: 'Ustedes participarán en mi reino y se sentarán en tronos en el cielo conmigo' (Lucas 22:19, 20, 30). Eso significa que irían al cielo para ser reyes con Jesús. Por eso, solo los que tienen la esperanza de gobernar con Jesús en el cielo deberían tomar del pan y del vino.

Pero incluso aquellos que no comen del pan ni beben del vino deben asistir a la Conmemoración. ¿Sabes por qué?... Porque Jesús dio su vida por todos. Al asistir a la Conmemoración, demostramos que no lo hemos olvidado. Y también recordamos que Dios nos hizo un regalo maravilloso.

Algunos textos que muestran la importancia del sacrificio de Jesús son 1 Corintios 5:7; Efesios 1:7; 1 Timoteo 2:5, 6, y 1 Pedro 1:18, 19.

CAPÍTULO 38

¿POR QUÉ DEBEMOS AMAR A JESÚS?

IMAGÍNATE que vas en un barco que se está hundiendo. ¿Te gustaría que alguien te salvara?... ¿Y si la persona diera su vida para rescatarte?... Pues eso fue lo que hizo Jesucristo. Como aprendimos en el capítulo 37, él dio su vida como rescate para salvarnos.

Claro, no es que Jesús nos salve de morir ahogados. ¿Recuerdas de qué nos salva?... Del pecado y la muerte que todos heredamos de Adán. A pesar de que algunas personas han hecho cosas muy malas, Jesús también murió por ellas. ¿Arriesgarías tu vida para intentar salvar a gente así?...

La Biblia dice: "Apenas muere alguien por un hombre justo; en realidad, por el hombre bueno, quizás, alguien hasta se atreva a morir". Pero también explica que Jesús "murió por impíos", por personas que ni siquiera sirven a Dios. La Biblia añade que "mientras todavía éramos pecadores", es decir, mientras todavía hacíamos cosas malas, "Cristo murió por nosotros" (Romanos 5:6-8).

¿Recuerdas quién hizo cosas muy malas antes de ser apóstol?... Fue alguien que escribió: "Cristo Jesús vino al mundo para salvar a pecadores. *De estos yo soy el más notable*". Esa persona fue el apóstol Pablo. Él dijo que en un tiempo había sido 'insensato' y había estado 'ocupado en la maldad' (1 Timoteo 1:15; Tito 3:3).

Piensa en cuánto amor demostró Dios al enviar a su Hijo para que muriera por gente tan mala. Toma, por favor, tu Biblia y lee lo que dice Juan, capítulo 3, versículo 16: "Tanto amó Dios al mundo [es decir, a la gente que vive en la Tierra] que dio a su Hijo unigénito, para que todo el que ejerce fe en él no sea destruido, sino que tenga vida eterna".

Jesús demostró que él nos amaba tanto como su Padre. Quizás recuerdes que en el capítulo 30 de este libro vimos los maltratos que sufrió la noche en que lo arrestaron. Primero lo llevaron a la casa del sumo sacerdote Caifás, donde lo juzgaron. Trajeron falsos testigos que dijeron mentiras sobre él, y la gente le dio puñetazos. Fue entonces cuando Pedro negó que lo conociera. Ahora imagina que estamos allí y vemos lo que sucede después.

Llega la mañana. Jesús ha pasado toda la noche despierto. Como el juicio celebrado por la noche no ha sido legal, los sacerdotes reúnen rápidamente al Sanedrín, o tribunal supremo judío, y celebran otro juicio. En este acusan de nuevo a Jesús de pecar contra Dios.

A continuación, los sacerdotes mandan atar a Jesús y lo llevan ante Pilato, el gobernador romano. Le dicen: 'Jesús está en contra del gobierno. Debe morir'. Pero Pilato comprende que los sacerdotes están mintiendo, así que les contesta: 'Yo no veo que este hombre haya hecho nada malo. Voy a dejarlo libre'. Entonces los sacerdotes y otras personas gritan: '¡No, mátalo!'.

Más tarde, Pilato le repite a la gente que va a poner en libertad a Jesús. Pero los sacerdotes hacen que la muchedumbre grite: 'Si lo dejas marchar, tú también estás en contra del gobierno. ¡Mátalo!'. La gente grita cada vez más fuerte. ¿Sabes qué hace Pilato?...

Deja que se salgan con la suya. Primero manda azotar a Jesús y luego lo entrega a los soldados para que lo maten. Estos le ponen

una corona de espinas y se inclinan ante él para hacerle burla. Después le dan un madero para que lo lleve a cuestas hasta un sitio fuera de la ciudad llamado Lugar del Cráneo. Allí le clavan las manos y los pies al madero y entonces levantan el madero para que Jesús quede colgando en él. Las heridas le sangran, y siente mucho dolor.

Pero Jesús no muere enseguida. Primero sufre bastante rato en el madero. Mientras tanto, los sacerdotes principales se burlan de él, y la gente que pasa por allí grita: "Si eres hijo de Dios, ¡baja del madero de tormento!". Pero Jesús sabe que su Padre lo ha enviado con un propósito: dar su vida perfecta

¿Qué maltratos sufrió Jesús cuando iba a dar su vida por nosotros?

¿Qué podemos hacer para demostrar que amamos a Jesús?

para que nosotros podamos vivir para siempre. Finalmente, como a las tres de la tarde, Jesús clama a su Padre y muere (Mateo 26:36–27:50; Marcos 15:1; Lucas 22:39–23:46; Juan 18:1–19:30).

¡Qué diferente fue Jesús de Adán! Adán no mostró amor a Dios, pues lo desobedeció. Tampoco demostró que amara a los seres humanos, porque por culpa de su pecado todos nacemos pecadores. Pero Jesús sí mostró amor tanto a Dios como a la humanidad. Él siempre obedeció a Dios y dio su vida para reparar todo el daño que Adán nos hizo.

¿Te das cuenta de qué maravilloso fue lo que hizo Jesús?... Cuando oras a Dios, ¿le das las gracias por enviarnos a su Hijo?... El apóstol Pablo agradeció lo que Cristo hizo. Dijo que el Hijo de Dios 'lo amó y se entregó por él' (Gálatas 2:20). Jesús murió también por ti y por mí. Dio su vida perfecta para que vivamos eternamente. Sin duda, es una buena razón para que lo amemos.

El apóstol Pablo escribió a los cristianos de la ciudad de Corinto: "El amor de Cristo nos obliga". ¿A qué crees tú que nos obliga?... Fíjate en lo que contesta Pablo: "Cristo murió por todos, a fin de que *todos vivan por él. Deben vivir para agradar a Cristo, no a sí mismos*" (cursivas nuestras; 2 Corintios 5:14, 15, *Versión Nueva Vida*).

¿Se te ocurren maneras de demostrar que vives para agradar a Cristo?... Una manera es, por ejemplo, contar a otras personas lo que has aprendido de él. O imagínate lo siguiente: estás solo, ni tu mamá ni tu papá ni ningún otro ser humano te observa. ¿Te pondrás a ver programas de televisión o páginas de Internet que sabes que no le gustarían a Jesús?... Recuerda que Jesús está vivo y ve todo lo que hacemos.

Otra razón por la que debemos amar a Jesús es que queremos imitar a Jehová. "El Padre me ama", dijo Jesús. ¿Sabes por qué Jehová lo ama y por qué nosotros también debemos hacerlo?... Porque Jesús estuvo dispuesto a morir para que se hiciera la voluntad de Dios (Juan 10:17). Por eso tenemos que obedecer el siguiente consejo bíblico: "Háganse imitadores de Dios, como hijos amados, y sigan andando en amor, así como el Cristo también los amó a ustedes y se entregó por ustedes" (Efesios 5: 1, 2).

Para que aumente nuestra gratitud por Jesús y lo que él hizo por nosotros, vamos a leer Juan 3:35; 15:9, 10, y 1 Juan 5:11, 12.

¿Quién ve todo lo que hacemos?

CAPÍTULO 39

DIOS SE ACUERDA DE SU HIJO

JESÚS lloró cuando su amigo Lázaro murió. ¿Crees que a Jehová le apenaron los sufrimientos y la muerte de su Hijo?... La Biblia dice que algunos sucesos hacen que Dios 'se sienta herido' y le 'causan dolor' (Salmo 78:40, 41; Juan 11:35).

¿Te imaginas el dolor que sintió Jehová cuando vio morir a su Hijo amado?... Jesús estaba seguro de que Dios no se olvidaría de él. Por eso, sus últimas palabras antes de morir fueron: 'Padre, en tus manos encomiendo mi vida' (Lucas 23:46).

Jesús estaba convencido de que Dios lo resucitaría, de que no lo dejaría "en el infierno", que es la sepultura o tumba. Después de la resurrección de Jesús, el apóstol Pedro citó lo que la Biblia decía sobre el Gran Maestro: "Su alma no fue dejada en el infierno, ni su carne vio corrupción" (Hechos 2: 31, *Reina-Valera*, 1979; Salmo 16:10). El cuerpo de Jesús pasó tan poco tiempo en la sepultura que no llegó a corromperse, es decir, a descomponerse y oler mal.

¿Por qué está vacía la tumba?
¿Qué ha ocurrido?

Mientras Jesús vivía aún en la Tierra, les aseguró a sus discípulos que no estaría muerto mucho tiempo. Les explicó que 'lo iban a matar y *al tercer día* sería levantado' (Lucas 9:22). Así que los discípulos no tenían por qué sorprenderse de que Jesús resucitara. Pero ¿se sorprendieron?... Vamos a ver.

El Gran Maestro muere en el madero de tormento como a las tres de la tarde del viernes. José, un hombre rico que es miembro del Sanedrín, cree en Jesús, pero en secreto. Cuando se entera de que Jesús ha muerto, va a ver a Pilato, el gobernador romano, y le pregunta si puede bajar el cuerpo del madero para enterrarlo. Entonces lo lleva a un huerto en el que hay una tumba.

Después de colocar el cuerpo de Jesús en la tumba, hace rodar una piedra grande hasta la entrada para cerrarla. Llega *el tercer día,* que es domingo. Todavía no ha salido el Sol, así que está oscuro. Unos soldados enviados por los sacerdotes principales vigilan la tumba. ¿Sabes por qué?...

Los sacerdotes han oído que Jesús dijo que resucitaría. De modo que han puesto guardias para evitar que los discípulos roben el cuerpo y digan que Jesús ha resucitado. Pero de repente, la tierra empieza a temblar y aparece una luz en la oscuridad. ¡Es un ángel de Jehová! Los soldados están tan asustados que no pueden moverse. El ángel va a la tumba y quita la piedra de la entrada. ¡La tumba está vacía!

Sucedió lo que dijo el apóstol Pedro más tarde: 'A Jesús lo resucitó Dios' (Hechos 2:32). Dios le devolvió la vida a Jesús y le dio un cuerpo como el que tenía antes de venir a la Tierra. Lo resucitó con un cuerpo espiritual como el de los ángeles (1 Pedro 3:18). Pero para que la gente pudiera verlo, tenía que presentarse ante ellos con un cuerpo de carne. ¿Lo hizo?... Veamos.

Ya está saliendo el Sol. Los soldados se han marchado, y María Magdalena y otras mujeres que son discípulas de Jesús van de camino a la tumba. Se dicen unas a otras: '¿Quién nos apartará la piedra, que es tan pesada?' (Marcos 16:3). Pero cuando llegan al lugar, ven que alguien ha quitado ya la piedra. También descubren con gran sorpresa que la tumba está vacía y que el cadáver de Jesús ha desaparecido. María Magdalena sale corriendo para dar la noticia a los apóstoles de Jesús.

Las otras mujeres se quedan junto a la tumba preguntándose dónde estará el cuerpo de Jesús. De pronto aparecen dos hombres con ropas brillantes. ¡Son ángeles! Estos les dicen a las mujeres: '¿Por qué buscan a Jesús aquí? Ha resucitado. Corran a decírselo a sus discípulos'. Puedes imaginarte lo rápido que corrieron. En el camino, un hombre se encuentra con ellas. ¿Sabes quién es?...

Es Jesús, que se les ha aparecido con un cuerpo humano. Les dice: 'Vayan a avisar a mis discípulos'. Las mujeres están emocionadas. Cuando llegan a donde están los discípulos, les anuncian: '¡Jesús está vivo! ¡Lo hemos visto!'. María Magdalena ya les ha dicho a Pedro y a Juan que la tumba está vacía, y los dos apóstoles han ido a comprobarlo, como ves en la lámina. Pedro y Juan se quedan mirando las vendas de lino en las que estaba envuelto Jesús y no saben qué pensar. Quieren creer que Jesús está vivo de nuevo, pero les parece demasiado bueno para ser verdad.

Ese mismo domingo, un poco después, Jesús se aparece a dos discípulos suyos que van caminando hacia la aldea de Emaús. Aunque Jesús se pone a caminar junto a ellos y les va hablando, no lo reconocen porque no tiene el mismo cuerpo físico que antes. Pero luego comen juntos y, cuando Jesús hace la oración, por fin lo reconocen. Los discípulos se emocionan tanto que regresan rápidamente a Jerusalén, que está a varios kilómetros. Quizás es un rato más tarde cuando Jesús se aparece a Pedro para demostrarle que está vivo.

Por la noche, bastantes discípulos suyos están reunidos en una habitación con las puertas cerradas y, de repente, Jesús aparece en medio de ellos. Ahora sí se convencen de que el Gran Maestro está vivo otra vez. ¡Imagínate lo felices que se sienten! (Mateo 28:1-15; Lucas 24:1-49; Juan 19:38–20:21.)

Durante cuarenta días, Jesús se presenta ante sus seguidores en diferentes cuerpos de carne para demostrarles que está vivo.

¿Qué están pensando seguramente Pedro y Juan?

Después abandona la Tierra y regresa al cielo, donde está su Padre (Hechos 1:9-11). Los discípulos empiezan a decirle enseguida a todo el mundo que Dios ha resucitado a Jesús. Aunque los sacerdotes los golpean y mandan matar a algunos, ellos no dejan de predicar. Saben que si mueren, Dios se acordará de ellos, igual que se acordó de su Hijo.

¡Qué diferentes eran los primeros seguidores de Jesús de mucha gente de hoy día! En algunos países, cuando llega la época del año en que Jesús resucitó, la mayoría de las personas solo piensan en conejos y coloridos huevos de Pascua. Pero la Biblia no dice nada de conejos ni huevos de Pascua. Lo que nos dice es que sirvamos a Dios.

¿En qué piensa mucha gente en la época del año en que resucitó Jesús? ¿En qué piensas tú?

Nosotros podemos ser como los discípulos de Jesús si le hablamos a la gente de lo maravilloso que fue que Dios resucitara a su Hijo. No debemos tener miedo nunca, aunque nos amenacen con matarnos. Si muriéramos, Jehová se acordaría de nosotros y nos resucitaría, como hizo con Jesús.

¿Verdad que nos alegra saber que Dios se acuerda de sus siervos y que incluso los resucitará?... Cuando aprendemos estas cosas, lo normal es que deseemos averiguar cómo hacer feliz a Dios. ¿Sabías que nosotros podemos hacerle feliz?... En el siguiente capítulo hablaremos de eso.

Si creemos que Jesús resucitó, nuestra esperanza se hará más firme y nuestra fe crecerá. Leamos Hechos 2:22-36; 4:18-20, y 1 Corintios 15:3-8, 20-23.

CAPÍTULO 40

CÓMO HACER FELIZ A DIOS

¿CÓMO podemos hacer feliz a Dios? ¿Podemos darle alguna cosa?... Jehová dice: 'A mí me pertenece todo animal salvaje del bosque' y "la plata es mía, y el oro es mío" (Salmo 24:1; 50:10; Ageo 2:8). Sin embargo, hay algo que sí podemos darle. ¿Qué será?...

Jehová deja que decidamos por nosotros mismos si le vamos a servir o no. No nos obliga a hacer su voluntad. Vamos a ver si entendemos por qué Dios nos creó con la capacidad de decidir si le serviremos o no.

Seguramente sabes qué es un robot. Es una máquina diseñada para hacer siempre lo que su fabricante desea. El robot no decide por sí mismo. Jehová podría habernos hecho a todos parecidos a robots para que solo pudiéramos hacer lo que él quisiera. Pero no nos creó así. ¿Sabes por qué?... Hay algunos juguetes que son como robots. Cuando se les aprieta un botón, hacen justo lo que el fabricante quiere que hagan. ¿Has visto juguetes de ese tipo?... La gente suele cansarse de ellos, pues solo hacen aquello para lo que están diseñados o programados. Pues bien, Dios no quiere que lo obedezcamos porque seamos robots

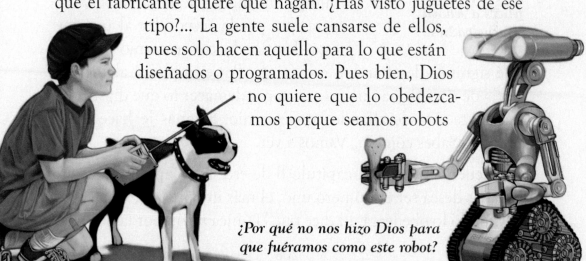

¿Por qué no nos hizo Dios para que fuéramos como este robot?

programados para servirle. Quiere que le sirvamos porque lo *amamos* y porque *deseamos* obedecerlo.

¿Cómo crees que se siente nuestro Padre celestial cuando le obedecemos porque así lo deseamos?...

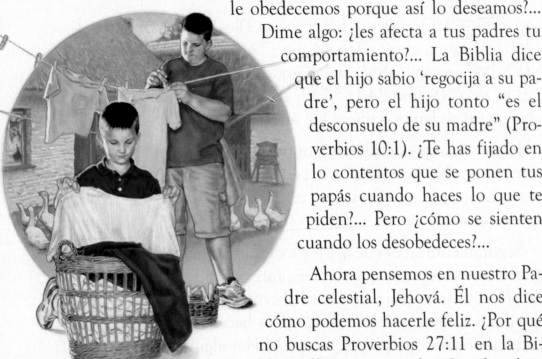

Dime algo: ¿les afecta a tus padres tu comportamiento?... La Biblia dice que el hijo sabio 'regocija a su padre', pero el hijo tonto "es el desconsuelo de su madre" (Proverbios 10:1). ¿Te has fijado en lo contentos que se ponen tus papás cuando haces lo que te piden?... Pero ¿cómo se sienten cuando los desobedeces?...

Ahora pensemos en nuestro Padre celestial, Jehová. Él nos dice cómo podemos hacerle feliz. ¿Por qué no buscas Proverbios 27:11 en la Biblia? Allí Dios nos pide: "Sé sabio, hijo mío [o hija mía], y *regocija mi corazón*, para que pueda responder al que me está desafiando con escarnio". ¿Sabes

¿Cómo puedes hacer felices a Jehová y a tus padres?

qué significa desafiar con escarnio?... Por ejemplo, si alguien se burla de ti y afirma que no eres capaz de hacer lo que dijiste que harías, te está desafiando con escarnio. Satanás le hace eso a Jehová. ¿Sabes cómo?... Vamos a ver.

Recuerda que en el capítulo 8 de este libro aprendimos que Satanás desea ser el número uno, el más importante, y que todo el mundo lo obedezca. Él dice que la única razón por la que adoramos a Jehová es que así recibiremos vida eterna. Después de lograr que Adán y Eva desobedecieran a Jehová, el Diablo desafió a Dios diciéndole: 'La gente te sirve solo por interés. Pero, si me das la oportunidad, yo puedo apartar de ti a cualquier persona'.

Aunque es verdad que en la Biblia no aparecen esas palabras exactas, al leer el relato de Job vemos claramente que Satanás le dijo algo parecido a Dios. Tanto a Satanás como a Jehová les importaba si Job era fiel a Dios o no. Abramos la Biblia en Job, capítulos 1 y 2, y veamos qué sucedió.

Nota que el capítulo 1 de Job dice que cuando los ángeles fueron a ver a Jehová, Satanás también estaba allí en el cielo con ellos. Así que Jehová le preguntó: "¿De dónde vienes?". Satanás le respondió que venía de pasear por la Tierra. Entonces Jehová le hizo otra pregunta: '¿Te has fijado en Job,

¿Cómo desafió Satanás a Jehová
después de que Adán y Eva pecaron?

un hombre que me sirve y no hace nada malo?' (Job 1:6-8).

Al Diablo no le parecía que Job fuera tan fiel. Por eso dijo: 'Job te adora porque todo le va bien. Pero si dejas de protegerlo, te maldecirá en la cara'. Jehová le contestó: 'Está bien, Satanás, puedes causarle las dificultades que quieras, pero a él no lo lastimes' (Job 1:9-12).

¿Qué hizo Satanás?... Se encargó de que robaran el ganado y los asnos de Job y de que mataran a los ganaderos. Después cayó un rayo que acabó con las ovejas y los pastores. A continuación le robaron también los camellos y mataron a quienes los cuidaban. Por último, Satanás hizo que se levantara un viento muy fuerte que derrumbó la casa en la que se encontraban los diez hijos de Job, y todos ellos murieron. Pero, a pesar de todo, Job continuó sirviendo a Jehová (Job 1:13-22).

Cuando Jehová volvió a hablar con Satanás, le dijo que Job aún era fiel. El Diablo lo seguía poniendo en duda, así que le pidió: 'Déjame que lo lastime a él, y verás cómo te maldice en la cara'. Entonces Jehová le permitió a Satanás lastimar a Job, pero le prohibió matarlo.

¿Qué aguantó Job, y por qué hizo feliz a Dios?

Satanás hizo que todo el cuerpo de Job quedara cubierto de llagas. Estas olían tan mal que nadie se le quería acercar. Hasta su esposa le dijo: "¡Maldice a Dios, y muere!". Unos supuestos amigos de Job fueron a visitarlo y le hicieron sentir peor, porque dijeron que si tenía tantos problemas, debía ser porque había hecho cosas terribles. Pero, aunque Satanás le causó todos esos problemas y sufrimientos, él siguió sirviendo fielmente a Jehová (Job 2:1-13; 7:5; 19:13-20).

¿Cómo crees que se sintió Jehová al ver la fidelidad de Job?... Muy feliz, pues pudo decirle a Satanás: '¡Mira a Job! Me sirve porque *desea* hacerlo'. ¿Serás tú como Job, alguien a quien Jehová pueda señalar como ejemplo de que Satanás es un mentiroso?... Es un gran honor servir de respuesta a la afirmación del Diablo de que él puede hacer que cualquier persona deje de servir a Jehová. Para Jesús fue sin duda un honor.

El Gran Maestro no permitió jamás que Satanás lo hiciera pecar. ¡Imagínate cuánto alegró eso a su Padre! Jehová pudo señalar a Jesús y responder a Satanás: '¡Mira a mi Hijo! Se ha mantenido completamente fiel a mí porque me ama'. Piensa también en el gozo que sintió Jesús al hacer feliz a su Padre. Gracias a ese gozo, hasta fue capaz de aguantar la muerte en un madero de tormento (Hebreos 12:2).

¿Quieres tú ser como el Gran Maestro y hacer feliz a Jehová?... Lo conseguirás si sigues aprendiendo lo que Jehová espera de ti y lo haces.

En los siguientes textos veremos qué hizo Jesús para que Dios se sintiera feliz y qué debemos hacer nosotros también: Proverbios 23:22-25; Juan 5:30; 6:38; 8:28, y 2 Juan 4.

CAPÍTULO 41

NIÑOS QUE HACEN FELIZ A DIOS

¿QUIÉN crees que fue el niño que hizo más feliz a Jehová?... Su Hijo, Jesús. Vamos a hablar de algunas cosas que hizo Jesús para que su Padre celestial se sintiera feliz.

La familia de Jesús vivía a tres días de viaje de Jerusalén. En esa ciudad se encontraba el hermoso templo de Jehová, al que Jesús llamaba "la casa de mi Padre". Él y su familia iban allí todos los años para celebrar la Pascua.

En una de esas ocasiones, cuando Jesús tenía doce años, su familia emprendió el viaje de regreso a casa después de acabar la Pascua. Cuando por fin se detuvieron en el lugar donde iban a pasar la noche, se dieron cuenta de que Jesús no estaba con ninguno de sus parientes o amigos. Así que María y José regresaron enseguida a Jerusalén para buscar a Jesús. ¿Te imaginas dónde lo encontraron?...

María y José lo encontraron en el templo. Jesús estaba escuchando a los maestros y haciéndoles preguntas. Y cuando ellos le preguntaban algo, él siempre sabía responderles. Los maestros estaban asombrados de lo bien que les contestaba. ¿Entiendes por qué Dios estaba contento con su Hijo?...

Cuando María y José hallaron por fin a Jesús, se sintieron más tranquilos. Pero él no estaba preocupado, pues sabía que el templo era un buen lugar en donde estar. Por eso les preguntó: "¿No sabían que tengo que estar en la casa de mi Padre?". Jesús estaba convencido de que el templo era la casa de Dios, y le encantaba estar allí.

Después, María y José se llevaron a Jesús a Nazaret, la ciudad donde vivían. ¿Cómo crees que trataba Jesús a sus padres?... La Biblia dice que *"continuó sujeto a ellos"*. ¿Sabes qué significa eso?... Que era *obediente* a ellos. Él siempre hacía lo que sus padres le pedían, aunque fuera una tarea del hogar, como traer agua del pozo (Lucas 2:41-52).

Así que piensa en esto: *aunque Jesús era perfecto, obedecía a sus padres imperfectos.* ¿Hacía eso feliz a Jehová?... Claro que sí, pues en su Palabra les dice a los hijos: "Sean obedientes a sus padres" (Efesios 6:1). Si imitas a Jesús y obedeces a tus padres, tú también harás feliz a Dios.

Otra forma en la que puedes hacer feliz a Jehová es hablando de él. Algunos piensan que eso no es cosa de niños. Pero cuando unos hombres intentaron impedir que unos muchachos lo hicieran, nota

¿Cómo hizo Jesús feliz a Dios cuando era niño?

lo que les dijo Jesús: '¿Nunca han leído en las Escrituras: "De la boca de los niños Dios recibirá alabanza"?' (Mateo 21:16). De modo que todo el que lo desee puede hablar a otras personas sobre Jehová y lo maravilloso que él es. Si lo hacemos, Dios estará contento con nosotros.

¿Dónde aprendemos cosas sobre Dios que luego podemos contar a los demás?... En casa, estudiando la Biblia. Pero aprendemos más en el lugar donde se reúne el pueblo de Dios para estudiar. ¿Cómo podemos saber si un grupo de personas son el pueblo de Dios, sus verdaderos siervos?...

Bueno, ¿qué hacen esas personas en sus reuniones? ¿Enseñan realmente lo que dice la Biblia? ¿La leen y la estudian? Esa es la forma de escuchar a Dios, ¿no crees?... Y en las reuniones cristianas, lo normal es que a uno le hablen de lo que Dios dice, ¿verdad?... Pero ¿y si un grupo de gente afirma que no hay que vivir como enseña la Biblia? ¿Dirías que son el pueblo de Dios?...

También debes pensar en otra cosa. La Biblia dice que los siervos de Dios serían "un pueblo para su nombre" (Hechos 15:14). Como el nombre de Dios es Jehová, podemos preguntarles a quienes afirman que son sus siervos si su Dios se llama Jehová. Si nos dicen que no, entonces sabemos que no son su pueblo. Además, los que forman parte de ese pueblo tienen que hablar a la gente sobre el Reino de Dios. Y deben mostrar su amor a Jehová obedeciendo sus mandamientos (1 Juan 5:3).

Si conoces algún grupo de personas que hagan todas estas cosas, reúnete con ellas para adorar a Dios. Escucha con atención lo que se dice en sus reuniones y contesta cuando se hagan preguntas. Así actuó Jesús cuando estuvo en la casa de Dios. Si lo imitas, alegrarás a Jehová, igual que hizo Jesús.

***Aunque su papá no era creyente,
¿qué deseaba hacer Timoteo?***

¿Te acuerdas de algún otro niño mencionado en la Biblia que hiciera feliz a Dios?... Un ejemplo excelente fue Timoteo. Su papá no creía en Jehová. Pero su mamá, Eunice, sí era creyente, y su abuela Loida también. Timoteo las escuchaba, y así aprendió sobre Jehová.

El apóstol Pablo visitó la ciudad de Timoteo cuando este ya era mayor. Pablo se dio cuenta de que Timoteo tenía muchos deseos de servir a Jehová, así que lo invitó a acompañarlo para que pudiera servir a Dios aún más. En todos los lugares que visitaron hablaron a la gente sobre el Reino de Dios y sobre Jesús (Hechos 16:1-5; 2 Timoteo 1:5; 3:14, 15).

Pero ¿habla la Biblia de alguna niña que hiciera feliz a Dios?... Por supuesto que sí. Veamos el caso de una jovencita de Israel. En la época en la que ella vivió, las naciones de Siria e Israel eran enemigas. Un día, los sirios lucharon contra los

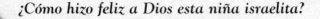

israelitas y se llevaron prisionera a la niña. La enviaron a la casa del jefe del ejército, que se llamaba Naamán, y la pusieron a trabajar como sirvienta de la esposa de este hombre.

Naamán tenía lepra, y ningún médico lo había podido curar. Pero la niña israelita creía que un siervo especial de Dios, un profeta, podía curarlo. Naamán y su esposa no adoraban a Jehová. ¿Debía decirles la niña lo que sabía? ¿Qué habrías hecho tú?...

La jovencita dijo: 'Si Naamán fuera a ver al profeta de Jehová que hay en Israel, se curaría de la lepra'. Naamán la escuchó y fue a visitarlo. Cuando siguió las instrucciones del profeta, se curó, y eso hizo que se volviera adorador del Dios verdadero (2 Reyes 5:1-15).

¿Te gustaría ayudar a alguien a aprender acerca de Jehová y de lo que él puede lograr, como hizo aquella niña?... ¿A quiénes podrías ayudar?... Claro, al principio las personas quizás piensen que no necesitan ayuda. Pero si les hablas de las cosas buenas que Jehová realiza, es posible que te escuchen. Y puedes estar seguro de que eso hará feliz a Dios.

En los siguientes textos también se anima a los niños a servir a Dios con alegría: Salmo 122:1; 148:12, 13; Eclesiastés 12:1; 1 Timoteo 4:12, y Hebreos 10:23-25.

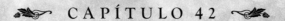

CAPÍTULO 42

¿POR QUÉ HAY QUE TRABAJAR?

¿QUÉ prefieres: trabajar o jugar?... Desde luego, no hay nada malo en jugar. La Biblia dice que Jerusalén estaría 'llena de niños y niñas que jugarían en sus plazas públicas' (Zacarías 8:5).

Al Gran Maestro le gustaba ver a los niños jugando. Antes de venir a la Tierra, dijo: 'Llegué a estar al lado de Dios como un obrero maestro, y estuve alegre delante de él todo el tiempo'. Un obrero es un trabajador, así que estas palabras demuestran que Jesús trabajó junto a Jehová en el cielo. Estando allí, también dijo: "Las cosas que fueron el objeto de mi cariño estuvieron con los hijos de los hombres". Como aprendimos en capítulos anteriores, el Gran Maestro se

**Antes de venir a la Tierra,
¿qué le gustaba hacer al Gran Maestro?**

interesaba mucho en todos los seres humanos, incluidos los niños (Proverbios 8:30, 31).

¿Piensas que Jesús jugaba cuando era niño?... Es muy probable. Pero, como en el cielo había sido "un obrero maestro", ¿no crees que trabajaría también en la Tierra?... Aunque lo llamaban "el hijo del carpintero", también le decían "el carpintero". ¿Qué indica eso?... Que José, quien crió a Jesús como hijo suyo, sin duda le enseñó su oficio. De modo que Jesús llegó a ser carpintero (Mateo 13:55; Marcos 6:3).

¿Qué clase de carpintero era Jesús?... Puesto que en el cielo había sido un obrero maestro, o sea, muy hábil,

¿Qué dos tipos de trabajo hizo Jesús cuando estuvo en la Tierra?

¿no te parece que en la Tierra sería un carpintero muy hábil también?... Piensa en lo duro que era el trabajo de carpintero en aquel tiempo. Es posible que Jesús tuviera que buscar un árbol, talarlo, cortarlo en pedazos, llevar a casa la madera y finalmente hacer con esta mesas, bancos y otros objetos.

¿Crees que Jesús realizaba todo ese trabajo con gusto?... ¿Estarías tú contento si fabricaras mesas y sillas de calidad y otros objetos para que la gente los utilizara?... La Biblia dice que es bueno que uno "se regocije en sus obras", es decir, se sienta feliz con los trabajos que hace. Estos dan una satisfacción que no se consigue jugando (Eclesiastés 3:22).

El trabajo es bueno tanto para la mente como para el cuerpo. Muchos niños pasan tantas horas sentados viendo la televisión o entretenidos con algún videojuego, que engordan y se debilitan. Esos niños ni son felices ni hacen felices a los demás. ¿Qué tenemos que hacer para ser felices?...

En el capítulo 17 aprendimos que al dar y al hacer cosas por los demás sentimos felicidad (Hechos 20:35). La Biblia llama a Jehová el "Dios feliz" (1 Timoteo 1:11). Y, como leímos en Proverbios, Jesús estuvo "alegre delante de él todo el tiempo". ¿Por qué?... Él mismo indicó una razón cuando dijo: "Mi Padre ha seguido trabajando hasta ahora, y yo sigo trabajando" (Juan 5:17).

Jesús no trabajó de carpintero durante toda su vida en la Tierra, ya que Jehová Dios tenía un trabajo especial para él. ¿Sabes cuál era?... Jesús dijo: "Tengo que declarar las buenas nuevas del reino de Dios, porque para esto fui enviado" (Lucas 4:43). Cuando predicaba, había personas que le creían y contaban a los demás lo que él les había dicho. Eso fue lo que hizo la samaritana que ves en la lámina (Juan 4:7-15, 27-30).

¿Qué pensaba Jesús de ese trabajo? ¿Crees que le gustaba?... Él dijo: "Mi alimento es hacer la voluntad del que me envió y terminar su obra" (Juan 4:34). ¿Cómo te sientes cuando tomas tu comida favorita?... Eso te da una idea de cómo se sentía Jesús al hacer el trabajo que Dios le había mandado.

Dios nos creó de tal forma que, si trabajamos, somos más felices. Él dice que su don, o regalo, para los humanos es que se 'regocijen con su duro trabajo'. Por lo tanto, si aprendes a trabajar cuando eres pequeño, serás más feliz toda tu vida (Eclesiastés 5:19).

Eso no significa que un niño deba hacer el trabajo de una persona mayor. Pero todos podemos hacer algún tipo de trabajo o tarea. Seguramente, tus padres trabajan mucho para ganar dinero y así poder alimentar a la familia y tener una casa. Además, como sabes bien, en la casa siempre hay mucho que hacer para mantenerla limpia y ordenada.

¿Qué tareas puedes hacer que serían para el bien de toda la familia?... Puedes ayudar a poner la mesa, lavar los platos, sacar la basura, limpiar tu habitación y recoger tus juguetes. A lo mejor ya haces alguna de esas cosas que tanto benefician a la familia.

Veamos en qué sentido son útiles a la familia ese tipo de tareas. Cuando terminas de jugar, se espera que recojas los juguetes. ¿Por qué dirías que eso es importante?... Porque ayuda a mantener la casa ordenada y a evitar accidentes. Si dejas los juguetes por todos lados, tu mamá pudiera entrar un día en casa con las manos ocupadas, tropezar con uno de ellos y caerse. Es posible que incluso hubiera que llevarla al hospital. ¿Verdad que sería terrible?... Así que cuando recoges los juguetes, beneficias a toda la familia.

Hay otras tareas que los niños también deben hacer, como por ejemplo, los deberes escolares. En la escuela, uno aprende a leer. A algunos niños les parece divertido, pero a otros les resulta difícil. Aunque a ti te parezca difícil al principio, siempre te alegrarás de haber aprendido a leer bien, pues así sabrás muchas cosas interesantes. Hasta serás capaz de leer por ti mismo la Palabra de Dios, la Biblia. De manera que si haces bien tus tareas escolares, recibirás muchos beneficios, ¿no crees?...

Hay personas a las que no les gusta trabajar. Quizás tú conozcas alguna. Pero, como Dios nos hizo para trabajar, tenemos que aprender a disfrutar de nuestra labor. ¿Qué pensaba el Gran Maestro de su trabajo?... Lo disfrutaba tanto como su comida favorita. ¿Y qué trabajo era ese?... Hablar a otros acerca de Jehová Dios y de cómo pueden conseguir la vida eterna.

Las siguientes sugerencias pueden ayudarte a disfrutar del trabajo. Pregúntate: ¿por qué debo hacer esta tarea? Si sabes por qué algo es importante, te resultará más fácil hacerlo. Y, sea una tarea grande o pequeña, hazla lo mejor posible. De esa forma disfrutarás de tu trabajo, igual que el Gran Maestro.

La Biblia nos ayuda a ser buenos trabajadores. Leamos lo que dice en Proverbios 10:4; 22:29; Eclesiastés 3:12, 13, y Colosenses 3:23.

¿Por qué es importante que recojas los juguetes cuando terminas de jugar?

CAPÍTULO 43

¿QUIÉNES SON NUESTROS HERMANOS?

EN UNA ocasión, el Gran Maestro hizo esta sorprendente pregunta: "¿Quién es mi madre, y quiénes son mis hermanos?" (Mateo 12:48). ¿Podrías contestar esa pregunta?... Seguramente sabes que la madre de Jesús se llamaba María. Pero ¿conoces los nombres de sus hermanos?... ¿Tenía también hermanas?...

La Biblia dice que los hermanos de Jesús se llamaban Santiago, José, Simón y Judas. Indica, además, que sí tenía hermanas. Jesús era el primer hijo, de modo que todos sus hermanos eran menores que él (Mateo 13:55, 56; Lucas 1:34, 35).

¿Eran los hermanos de Jesús discípulos suyos?... La Biblia dice que al principio "no ejercían fe en él" (Juan 7:5). Pero después, Santiago y Judas llegaron a ser sus discípulos e incluso escribieron libros de la Biblia. ¿Sabes cuáles?... Las cartas de Santiago y de Judas.

Aunque la Biblia no revela el nombre de las hermanas de Jesús, sabemos que por lo menos eran dos. ¿Se hicieron discípulas de él sus hermanas?... La Biblia no lo dice, así que no lo sabemos. Pero ¿por qué preguntó Jesús quiénes eran su madre y sus hermanos?... Vamos a ver.

Momentos antes, Jesús estaba enseñando a sus discípulos, y alguien lo interrumpió para decirle: "Tu madre y tus hermanos están parados fuera, y procuran hablarte". Jesús quiso aprovechar la oportunidad para enseñar una lección importante. Por eso hizo la sorprendente pregunta: "¿Quién es mi madre, y quiénes son mis hermanos?", y entonces, señalando hacia sus discípulos, exclamó: "¡Mira! ¡Mi madre y mis hermanos!".

A continuación explicó: "Cualquiera que hace la voluntad de mi Padre que está en el cielo, ese es mi hermano y hermana y madre" (Mateo 12:47-50). Esto muestra el cariño que Jesús sentía por sus discípulos. Con esas palabras nos enseñó que, para él, sus discípulos eran como verdaderos hermanos, hermanas y madres.

En aquel entonces, los hermanos carnales de Jesús —Santiago, José, Simón y Judas— no pensaban que él fuera el Hijo de Dios. No creían que fuera cierto lo que el ángel Gabriel le había dicho a su madre (Lucas 1:30-33). Puede que incluso trataran mal a Jesús. Quien se porta así no demuestra ser

¿Quiénes dijo Jesús
que eran sus hermanos?

un *verdadero* hermano. ¿Conoces a alguien que se porte mal con su hermano o su hermana?...

En el relato bíblico de Esaú y Jacob leemos que Esaú se enojó tanto con su hermano que dijo: "Voy a matar a Jacob mi hermano". Su madre, Rebeca, se asustó mucho y mandó a Jacob lejos para que Esaú no lo matara (Génesis 27:41-46). Sin embargo, muchos años después, Esaú cambió de actitud, y abrazó y besó a su hermano (Génesis 33:4).

Con el tiempo, Jacob tuvo doce hijos. Pero los mayores no amaban a su hermano menor José. Tenían celos de él porque era el preferido de su padre. De modo que lo vendieron a unos mercaderes de esclavos que iban camino a Egipto, y luego le dijeron a su padre que una fiera lo había matado (Génesis 37:23-36). ¿No te parece horrible?...

Años después, los hermanos de José se arrepintieron de lo que habían hecho, y él los perdonó. ¿Ves en qué se parecen José y Jesús?... Cuando Jesús estuvo en problemas,

¿Qué lección aprendemos de lo que Caín le hizo a Abel?

sus apóstoles huyeron, y Pedro hasta negó que lo conociera. Pero, al igual que José, Jesús los perdonó a todos.

También aprendemos una lección de lo que les sucedió a otros dos hermanos: Caín y Abel. Dios vio en el corazón de Caín que no amaba a su hermano, así que le dijo que tenía que cambiar. Si Caín hubiera amado de verdad a Dios, le habría hecho caso. Pero no lo amaba. Un día, Caín le dijo a su hermano: "Vamos allá al campo". Abel lo acompañó, y cuando estaban los dos solos en el campo, Caín le dio un golpe tan fuerte que lo mató (Génesis 4:2-8).

La Biblia dice que ese relato nos enseña una lección importante. ¿Sabes cuál es?... "Este es el mensaje que ustedes han oído desde el principio, que debemos tener amor unos para con otros; no como Caín, que se originó del inicuo." Por lo tanto, los hermanos tienen que amarse. No deben ser como Caín (1 Juan 3:11, 12).

¿Por qué no debemos ser como Caín?... Porque la Biblia dice que Caín "se originó del inicuo", Satanás el Diablo. Como Caín se portó igual que el Diablo, fue como si se hubiera convertido en hijo suyo.

¿Entiendes por qué es importante que ames a tus hermanos?... Si no lo haces, ¿a quiénes estarás imitando?... A los hijos del Diablo. Y tú no deseas ser como ellos, ¿verdad?... Entonces, ¿cómo puedes demostrar que quieres ser un hijo o una hija de Dios?... Amando a tus hermanos.

Pero ¿qué es el amor?... Es un sentimiento profundo que nos motiva a realizar buenas obras por otras personas. Demostramos amor a los demás cuando les tenemos cariño y hacemos cosas buenas por ellos. ¿Y quiénes son nuestros hermanos, a los que debemos amar?... Recuerda que Jesús enseñó que son quienes componen la gran familia cristiana.

¿Por qué es importante que amemos a nuestros hermanos cristianos?... La Biblia dice: "El que no ama a su hermano, a quien ha visto, no puede estar amando a Dios, a quien no ha visto" (1 Juan 4:20). De manera que no basta con amar solo a unos cuantos miembros de la familia cristiana. Debemos amarlos a todos. Jesús dijo: "En esto todos conocerán que ustedes son mis discípulos, si tienen amor entre sí" (Juan 13:35). ¿Amas tú a todos los hermanos?... Recuerda que si no los amas a ellos, tampoco amas realmente a Dios.

¿Cómo podemos demostrar verdadero amor a nuestros hermanos?... Por ejemplo, no evitaremos encontrarnos con ellos para no tener que hablarles. Al contrario, seremos amables con todos, los trataremos siempre bien y compartiremos nuestras cosas con ellos. Y si alguna vez tienen problemas, los ayudaremos, porque verdaderamente somos una gran familia.

¿Cómo puedes demostrar que amas a tu hermano?

Cuando amamos de corazón a todos los hermanos, ¿qué demostramos?... Que somos discípulos de Jesús, el Gran Maestro. ¿Verdad que deseamos serlo?...

También se nos dice que debemos amar a los hermanos en Gálatas 6:10 y 1 Juan 4:8, 21. ¿Por qué no abres la Biblia y lees esos textos?

CAPÍTULO 44

NUESTROS AMIGOS
DEBEN AMAR A DIOS

LOS amigos son las personas con quienes nos gusta hablar y pasar tiempo juntos. Pero es importante elegir los amigos apropiados. ¿Quién crees que es el mejor amigo que podemos tener?... Sí, es Jehová Dios.

Pero ¿de verdad podemos ser amigos de Dios?... La Biblia dice que Abrahán, un hombre que vivió hace mucho tiempo, fue "amigo de Jehová" (Santiago 2:23). ¿Sabes por qué?... La Biblia contesta que Abrahán *obedeció* a Dios, incluso cuando Dios le pidió hacer cosas difíciles. Por lo tanto, para ser amigos de Jehová, debemos hacer lo que le agrada, como hizo Abrahán y como siempre ha hecho el Gran Maestro (Génesis 22:1-14; Juan 8: 28, 29; Hebreos 11:8, 17-19).

*¿Por qué fue Abrahán
"amigo de Jehová"?*

*¿Por qué se quedó Jesús muchas veces con esta familia
en sus visitas a Jerusalén? ¿Sabes cómo se llaman?*

Jesús les dijo a sus apóstoles: "Ustedes son mis amigos *si hacen
lo que les mando*" (Juan 15:14). Como todos los mandatos de Jesús venían de Jehová, esas palabras significan que sus amigos
eran las personas que cumplían los mandatos de Dios. Todos sus
amigos amaban a Dios.

Algunos de los mejores amigos del Gran Maestro fueron sus
apóstoles, a los que puedes ver en la lámina de la página 75.
Los apóstoles viajaron con él y lo ayudaron en la predicación. Jesús pasó mucho tiempo con ellos. Comían, hablaban de Dios
y hacían otras cosas juntos. Pero Jesús tenía muchos amigos
más. A veces se quedaba en sus casas, y juntos pasaban un buen
rato.

A Jesús le gustaba quedarse en casa de una familia de Betania,
un pueblo situado a las afueras de la gran ciudad de Jerusalén.
¿Recuerdas quiénes eran?... María, Marta y su hermano Lázaro.

Jesús dijo que Lázaro era su amigo (Juan 11:1, 5, 11). Jesús amaba a esa familia y disfrutaba de estar con ellos porque amaban a Jehová y le servían.

Eso no quiere decir que Jesús no fuera bondadoso con quienes no servían a Dios. Sí lo era. Incluso iba a sus casas y comía con ellos. Por ese motivo, algunas personas dijeron que Jesús era "amigo de recaudadores de impuestos y pecadores" (Mateo 11:19). Pero Jesús no iba a sus casas porque le gustara su forma de vivir. Los visitaba para poder hablar con ellos sobre Jehová. Intentaba ayudarlos a dejar su mala vida y servir a Dios.

Así ocurrió en una ocasión en la que Jesús pasaba por la ciudad de Jericó de camino a Jerusalén. Un hombre llamado Zaqueo quería ver a Jesús, pero no podía porque había mucha gente y él era de baja estatura. De modo que se adelantó corriendo por el camino y se subió a un árbol para poder ver bien a Jesús cuando pasara.

Cuando Jesús llegó al árbol, miró hacia arriba y dijo: 'Date prisa y baja, porque hoy voy a ir a tu casa'. Pero Zaqueo era un hombre rico que había hecho cosas

¿Por qué se subió Zaqueo a un árbol?

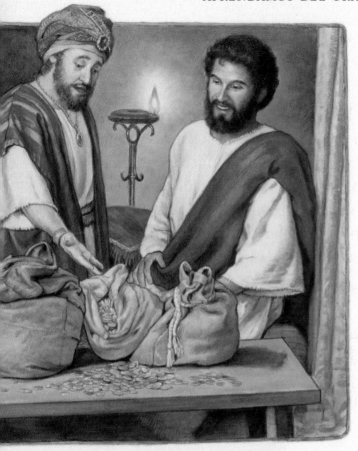

¿Por qué visitó Jesús a Zaqueo, y qué prometió este que haría?

malas. ¿Por qué quería ir Jesús a la casa de un hombre así?...

No era porque a Jesús le gustara su forma de vida; era, más bien, porque deseaba hablarle de Dios. Observó que aquel hombre había hecho todo lo posible por verlo, y por eso supo que Zaqueo estaba dispuesto a escucharlo. Era un buen momento para hablar con él sobre cómo Dios dice que debe vivir la gente.

¿Qué ocurrió entonces, como vemos en la lámina?... A Zaqueo le gustaron las enseñanzas de Jesús. Se arrepintió de haber engañado a la gente y prometió que devolvería el dinero que había tomado de forma injusta. A continuación se hizo discípulo de Jesús, y solo entonces llegó a ser su amigo (Lucas 19:1-10).

Si imitamos el ejemplo del Gran Maestro, ¿visitaremos a personas que no sean nuestros amigos?... Sí. Pero no iremos a su casa porque nos guste su forma de vida ni para hacer cosas malas con ellos. Los visitaremos para hablarles de Dios.

Nuestros mejores amigos son aquellos con los que más nos gusta pasar el tiempo. Sin embargo, para que sean los amigos apropiados, deben agradarle a Dios. Tal vez algunos ni siquiera sepan quién es Jehová, pero si quieren aprender sobre él, podemos ayudarlos. Y cuando ellos amen a Jehová como nosotros, podrán ser nuestros mejores amigos.

Hay otra forma de averiguar si una persona puede ser un buen amigo. Fíjate en las cosas que hace. ¿Se divierte haciendo cosas malas a los demás? Eso no está bien, ¿verdad?... ¿Está siempre metido en problemas? No nos gustaría tener problemas por estar con él, ¿no es cierto?... ¿O hace cosas malas a propósito y piensa que es muy listo porque no lo descubren? Aunque no lo descubran, Dios vio lo que estaba haciendo, ¿verdad?... ¿Crees que debemos ser amigos de personas que hacen ese tipo de cosas?...

¿Por qué no sacas tu Biblia? Veamos lo que dice sobre cómo los amigos influyen en nosotros. El texto se encuentra en 1 Corintios, capítulo 15, versículo 33. ¿Ya lo tienes?... Dice así: "No se extravíen. Las malas compañías echan a perder los hábitos útiles". Eso significa que si andamos con personas malas, podemos volvernos malos. Pero también es cierto que los buenos compañeros nos ayudan a tener buenas costumbres.

Nunca olvidemos que la Persona más importante de nuestra vida es Jehová. No queremos dañar nuestra amistad con él, ¿verdad?... Por eso debemos esforzarnos por ser amigos solo de las personas que amen a Dios.

La importancia de elegir los amigos apropiados se muestra en Salmo 119:115; Proverbios 13:20; 2 Timoteo 2:22, y 1 Juan 2:15.

CAPÍTULO 45

¿QUÉ ES EL REINO DE DIOS? ¿DEMOSTRAMOS QUE LO QUEREMOS?

¿CONOCES la oración que Jesús les enseñó a sus discípulos?... Si no, podemos leerla juntos en la Biblia, en Mateo 6:9-13. Esta oración, que muchas personas llaman el padrenuestro, dice en parte: "Venga tu reino". ¿Sabes qué es el Reino de Dios?...

En la Biblia, un reino es una forma de gobierno. Hoy en día también hay otros tipos de gobierno. En algunos de ellos, el que dirige el país es el presidente. Pero en el gobierno que Dios ha prometido, que recibe el nombre de Reino, el gobernante es el Rey.

¿Sabes a quién escogió Jehová Dios para que fuera el Rey de su gobierno?... A su Hijo, Jesucristo. ¿Por qué es Jesús el mejor gobernante, mejor que cualquier otro que los hombres pudieran escoger?... Porque, como él ama de verdad a su Padre, siempre hace lo que está bien.

¿Qué obra vino a hacer Jesús a la Tierra?

Mucho antes de que Jesús naciera en Belén, la Biblia predijo que vendría a la Tierra y que llegaría a ser el gobernante escogido por Dios. Vamos a leer Isaías 9:6, 7: "Porque un niño nos ha nacido, un hijo nos ha sido dado, y *el gobierno* reposará sobre sus hombros; y se llamará [...] *Príncipe de Paz*. El aumento de *su gobierno* y [el] de la paz no tendrán fin" (cursivas nuestras; *La Biblia de las Américas*, notas).

¿Sabes por qué se le llama "Príncipe" al Gobernante del Reino de Dios?... Porque un príncipe es el hijo de un rey, y Jesús es el Hijo del Gran Rey, Jehová. Pero Jehová también ha nombrado a Jesús Rey de su Reino, que gobernará la Tierra durante mil años (Revelación [Apocalipsis] 20:6). Después de su bautismo, Jesús "comenzó a predicar y a decir: 'Arrepiéntanse, porque el reino de los cielos se ha acercado'" (Mateo 4:17).

¿Por qué crees que Jesús dijo a quienes lo rodeaban que el Reino se había acercado?... Porque el Rey, que después reinaría en el cielo, estaba entre ellos. Por eso, Jesús les declaró: "El reino de Dios está en medio de ustedes" (Lucas 17:21). ¿No te gustaría tener al Rey escogido por Jehová tan cerca que hasta pudieras tocarlo?...

Entonces, dime: ¿qué obra importante vino a realizar Jesús a la Tierra?... Él mismo contestó esa pregunta diciendo: "También a otras ciudades *tengo que declarar las buenas nuevas del reino de Dios*, porque para esto fui enviado" (Lucas 4:43). Pero Jesús sabía que no podría realizar toda la obra de predicación él solo. Por eso, ¿qué crees que hizo?...

Jesús llevó a otras personas a predicar con él para mostrarles cómo efectuar esa obra. Los primeros a quienes enseñó fueron sus doce apóstoles (Mateo 10:5, 7). Pero ¿les enseñó a predicar solo a ellos? No, la Biblia dice que también enseñó a muchos otros discípulos. Con el tiempo, envió a setenta de ellos de dos en dos. ¿Qué le predicaban a la gente?... Jesús les dio las siguientes instrucciones: "Sigan diciéndoles: 'El reino de Dios se ha acercado a ustedes'" (Lucas 10:9). De esa forma, la gente aprendió sobre el gobierno de Dios.

Mucho tiempo antes, en Israel, los reyes recién nombrados acostumbraban entrar en la ciudad montados en un pollino, o asno joven, para que el pueblo los viera. Eso mismo hizo Jesús cuando visitó Jerusalén por última vez. Sabemos que Jesús iba a ser el Gobernante del Reino de Dios, pero ¿quería la gente que fuera su Rey?...

Bueno, la mayoría de la gente empezó a tender sus mantos sobre el camino por donde él iba a pasar. Otros cortaron ramas de palmera y también las pusieron en el camino. De esa forma demostraban que querían a Jesús como Rey. Gritaban: "¡Bendito es El que viene como Rey en el nombre de Jehová!". Pero no todo el mundo estaba contento. De hecho, algunos líderes religiosos incluso le pidieron a Jesús: 'Dile a tus discípulos que se callen' (Lucas 19:28-40).

Cinco días después, Jesús fue arrestado y llevado al palacio del gobernador, Poncio Pilato. Los enemigos de Jesús lo acusaban de decir que era rey y de oponerse al gobierno romano. Pilato lo interrogó, pero Jesús le mostró que no estaba intentando tomar el control del gobierno. Le dijo: "Mi reino no es parte de este mundo" (Juan 18:36).

Pilato entonces salió y le dijo a la gente que no encontraba nada malo en Jesús. Pero ellos ya no querían que Jesús fuera su

Rey, ni que lo pusieran en libertad (Juan 18: 37-40). Después de volver a hablar con Jesús, Pilato estaba convencido de que no había hecho nada malo, así que sacó a Jesús fuera por última vez y dijo: "¡Miren! ¡Su rey!". Pero la gente gritó: "¡Quítalo! ¡Quítalo! ¡Al madero con él!".

¿Por qué cambió la gente de opinión y ya no quería que Jesús fuera su rey?

Pilato preguntó: "¿A su rey fijo en un madero?", y los sacerdotes principales contestaron: "No tenemos más rey que César". ¿Te imaginas? Aquellos sacerdotes malvados habían logrado poner al pueblo en contra de Jesús (Juan 19:1-16).

En nuestros días ocurre algo muy parecido. La mayoría de las personas no quieren en realidad que Jesús sea su Rey. Tal vez afirmen que creen en Dios, pero no quieren que ni Dios ni Cristo les digan lo que deben hacer. Prefieren establecer sus propios gobiernos.

¿Y nosotros? Cuando aprendemos sobre el Reino de Dios y todas las cosas maravillosas que hará, ¿qué sentimos hacia Dios?... Amor, ¿verdad?... Entonces, ¿cómo podemos demostrarle que lo amamos y que deseamos que su Reino nos gobierne?...

Imitando el ejemplo de Jesús. ¿Cómo demostró Jesús que amaba a Jehová?... "Yo siempre hago las cosas que le agradan", explicó (Juan 8:29). Sí, Jesús vino a la Tierra 'para hacer la voluntad de Dios' y para "terminar su obra" (Hebreos 10:7; Juan 4:34). Veamos qué hizo antes de comenzar su obra de predicación.

Jesús fue a donde estaba Juan el Bautista, en el río Jordán. Después de meterse los dos en el río, Juan sumergió a Jesús completamente en el agua y entonces lo sacó. ¿Sabes por qué lo bautizó Juan?...

Jesús se lo pidió. Pero ¿cómo sabemos que Dios quería que Jesús se bautizara?...

¿Por qué se bautizó Jesús,
y cómo mostró Dios
que lo aprobaba?

Porque cuando Jesús salió del agua, escuchó la voz de Dios que decía desde el cielo: "Tú eres mi Hijo, el amado; yo te he aprobado". Dios hasta envió su espíritu santo en forma de paloma sobre Jesús. Al bautizarse, Jesús demostró que quería servir a Jehová toda su vida, para siempre (Marcos 1:9-11).

Tú eres pequeño todavía, pero ¿qué harás cuando crezcas?... ¿Seguirás el ejemplo de Jesús y te bautizarás?... Deberías hacerlo, pues la Biblia dice que él dejó un 'modelo para que sigamos sus pasos con sumo cuidado y atención' (1 Pedro 2:21). Cuando te bautices, estarás demostrando que realmente quieres que el Reino de Dios te gobierne. Pero bautizarse no es suficiente.

Tenemos que obedecer todo lo que Jesús enseñó. Jesús dijo que no debemos ser "parte del mundo". ¿Estaríamos obedeciéndole si participáramos en las cosas del mundo? Jesús y sus apóstoles se mantuvieron alejados de ellas (Juan 17:14). Entonces, ¿a qué se dedicaron?... A hablar del Reino de Dios. Esa fue la obra principal en sus vidas. ¿Podemos hacer nosotros lo mismo?... Sí, y lo haremos si somos sinceros cuando le oramos a Dios pidiendo que venga su Reino.

Vamos a buscar otros textos donde se explica cómo podemos demostrar que deseamos que venga el Reino de Dios: Mateo 6:24-33; 24:14; 1 Juan 2:15-17, y 5:3.

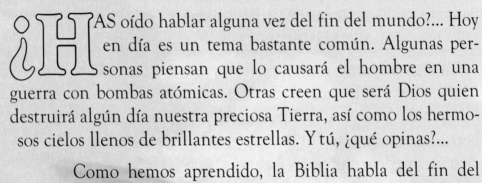

CAPÍTULO 46

¿HABRÁ OTRO DILUVIO QUE DESTRUYA EL MUNDO?

¿**H**AS oído hablar alguna vez del fin del mundo?... Hoy en día es un tema bastante común. Algunas personas piensan que lo causará el hombre en una guerra con bombas atómicas. Otras creen que será Dios quien destruirá algún día nuestra preciosa Tierra, así como los hermosos cielos llenos de brillantes estrellas. Y tú, ¿qué opinas?...

Como hemos aprendido, la Biblia habla del fin del mundo. "El mundo va pasando", nos dice (1 Juan 2:17). ¿Piensas que eso significa que nuestro planeta llegará a su fin?... No, la Biblia explica que Dios hizo la Tierra

*¿Qué mundo fue destruido
en los días de Noé?*

"*para ser habitada*", para que los seres humanos vivieran felices en ella (Isaías 45:18). Salmo 37:29 dice: "Los justos mismos poseerán la tierra, y residirán para siempre sobre ella". Por esa razón, las Escrituras indican también que la Tierra durará para siempre (Salmo 104:5; Eclesiastés 1:4).

Si el fin del mundo no significa el fin de la Tierra, ¿entonces qué significa?... Para saber la respuesta, analicemos lo que sucedió en los días de Noé. La Biblia explica: '*El mundo de aquel tiempo sufrió destrucción* cuando quedó cubierto de agua' (2 Pedro 3:6).

¿Sobrevivió alguien a aquella inundación enorme que acabó con el mundo en los días de Noé?... La Biblia dice que Dios "guardó en seguridad a Noé, predicador de justicia, con otras siete personas cuando trajo un diluvio sobre un mundo de gente impía" (2 Pedro 2:5).

Por lo tanto, ¿cuál fue el mundo que terminó: la Tierra, o la gente mala?... La Biblia señala que fue el "*mundo de gente impía*", o malvada. Nota, además, que a Noé se le llama "predicador". ¿Qué crees que predicaba?... Avisaba a los demás que se acercaba el fin del "*mundo de aquel tiempo*".

En una ocasión, Jesús habló a sus discípulos sobre aquel Diluvio y les explicó lo que hacían las personas justo antes de que viniera el fin: "En aquellos días antes del diluvio estaban comiendo y bebiendo, los hombres casándose y las mujeres siendo dadas en matrimonio, hasta el día en que Noé entró en el arca; y *no hicieron caso hasta que vino el diluvio y los barrió a todos*". Jesús añadió que, antes del fin del mundo de nuestros días, la gente haría lo mismo (Mateo 24:37-39).

Las palabras de Jesús muestran que podemos aprender una lección de lo que hacía la gente antes del Diluvio. En el capítulo 10 de este libro ya vimos cómo se comportaban. ¿Lo recuerdas?... Algunos hombres eran crueles y violentos. Pero la mayoría de las personas, como dijo Jesús, simplemente no hicieron caso cuando Dios les envió a Noé para que les predicara.

Sin embargo, llegó el día en que Jehová le dijo a Noé que iba a destruir a la gente mala con un diluvio. El agua cubriría toda la Tierra, hasta las montañas más altas. Jehová le mandó a Noé construir un arca enorme. Se parecería a una caja alargada muy grande, como puedes ver en la lámina de la página 238.

Dios le dijo a Noé que hiciera el arca tan grande porque en ella tendrían que salvarse, además de él y su familia, muchos animales. Noé y su familia trabajaron muy duro. Cortaron árboles grandes, y con la madera empezaron a construir el arca. Tardaron muchos años en terminarla debido a su enorme tamaño.

¿Recuerdas qué hizo Noé durante todos esos años, además de construir el arca?... Predicó para avisar a la gente que venía un diluvio. ¿Lo escuchó alguien? Solo su familia. Los demás estaban muy ocupados con otras cosas. ¿Recuerdas qué dijo Jesús que hacían?... Comían, bebían y se casaban. No pensaban que fueran personas malas, así que no sacaron tiempo para escuchar a Noé. Vamos a ver qué les sucedió.

Después que Noé y su familia entraron en el arca, Jehová cerró la puerta. Las demás personas aún no creían que vendría un diluvio. De repente, empezó a llover, pero no como lo hace normalmente, sino con mucha más fuerza. Enseguida se formaron ríos grandes y ruidosos que tumbaban árboles enormes y arrastraban rocas pesadas como si fueran piedrecitas. ¿Qué les pasó a los que estaban fuera del arca?... Jesús dijo: "Vino el diluvio y los barrió a todos". No sobrevivió nadie. ¿Por qué?... Porque, como explicó Jesús, "no hicieron caso". No escucharon la advertencia (Mateo 24:39; Génesis 6:5-7).

Pero no olvides que Jesús dijo que aquel suceso nos sirve de lección a nosotros. ¿Qué nos enseña?... Pues bien, aquellas personas no fueron destruidas solo por ser malas, sino porque muchas estaban tan ocupadas que no les quedaba tiempo para aprender acerca de Dios y de lo que él iba a hacer. Debemos tener cuidado de que a nosotros no nos suceda lo mismo, ¿verdad?...

¿Crees que Dios destruirá de nuevo el mundo con un diluvio?... No, él prometió que no lo haría. Dijo: "De veras doy mi arco iris en la nube, y tiene que servir como señal". Jehová explicó que el arco iris sería una señal de que 'nunca más llegarían a ser las aguas un diluvio para arruinar toda carne' (Génesis 9:11-17).

Por lo tanto, podemos estar seguros de que Dios no destruirá nunca más el mundo con un diluvio. Sin embargo, como hemos visto, la Biblia sí dice que el mundo actual terminará. ¿Quiénes se salvarán cuando Dios lo destruya?... ¿Los que

¿Por qué no debemos pensar solo en divertirnos?

siempre estaban tan interesados en otras cosas que no quisieron aprender acerca de Dios? ¿Los que nunca tenían tiempo para estudiar la Biblia? ¿Tú qué crees?...

Nosotros queremos estar entre los que Dios salve, ¿verdad?... ¿No sería maravilloso que nuestra familia fuera como la de Noé, y Jehová nos salvara a todos?... Pero para sobrevivir al fin del mundo, primero tenemos que entender cómo Dios lo destruirá y traerá su justo nuevo mundo. Veamos de qué manera lo hará.

La Biblia lo explica en Daniel, capítulo 2, versículo 44. Hablando de nuestros días, el texto dice: "En los días de aquellos reyes el Dios del cielo establecerá un reino [o gobierno] que nunca será reducido a ruinas. Y el reino mismo no será pasado a ningún otro pueblo. Triturará y pondrá fin a todos estos reinos, y él mismo subsistirá hasta tiempos indefinidos".

¿Entiendes lo que eso significa?... La Biblia dice que el gobierno de Dios va a destruir todos los gobiernos terrestres. ¿Por qué?... Porque no obedecen al Rey nombrado por Dios. ¿Quién es ese?... Jesucristo.

Jehová Dios tiene el derecho de decidir qué clase de gobierno es el mejor, y ha escogido a su Hijo, Jesús, para que sea Rey. Dentro de poco, ese Rey dirigirá la destrucción de todos los gobiernos humanos. En el libro bíblico de Revelación (Apocalipsis), capítulo 19, versículos 11 al 16, se nos dice cómo lo hará. En la lámina de la página siguiente lo puedes ver. La Biblia llama Har–Magedón, o Armagedón, a esa guerra en la que Jehová destruirá los gobiernos del mundo.

Aunque Dios dice que su Reino acabará con los gobiernos humanos, ¿nos pide a nosotros que ayudemos a destruirlos?... No,

la Biblia dice que el Armagedón es "la guerra del gran día de Dios el Todopoderoso" (Revelación 16:14, 16). Así es, el Armagedón es la guerra de Dios, y él utiliza a Jesucristo para dirigir los ejércitos celestiales en la batalla. ¿Comenzará pronto esa guerra? Veamos cómo podemos averiguarlo.

Leamos juntos cómo Dios destruye a los malvados y salva a sus siervos. Busquemos Proverbios 2:21, 22; Isaías 26:20, 21; Jeremías 25: 31-33, y Mateo 24:21, 22.

Jesucristo, el Rey escogido por Dios, destruirá este mundo en el Armagedón

CAPÍTULO 47

¿CÓMO SABEMOS QUE EL ARMAGEDÓN ESTÁ CERCA?

SABES lo que es una señal, ¿verdad?... En el capítulo 46 leímos que Jehová dio una señal para mostrar que nunca más destruiría el mundo con un diluvio. Pues bien, los apóstoles también pidieron una señal para saber cuándo Jesús habría regresado y cuándo estaría cerca el fin del mundo, es decir, del sistema de cosas (Mateo 24:3).

Como Jesús sería invisible y estaría en el cielo, se necesitaría una señal visible de que había comenzado a gobernar. Así que Jesús les contó a sus discípulos qué cosas debían esperar que ocurrieran aquí en la Tierra. Cuando las vieran, eso significaría que él había regresado y que había comenzado a reinar en el cielo.

Para que los discípulos comprendieran la importancia de mantenerse alerta, Jesús les dijo: "Noten la higuera y todos los de-

¿Qué lección enseñó Jesús cuando habló de la higuera?

más árboles: Cuando ya echan brotes, ustedes, *al observarlo,* saben para sí que ya se acerca el verano". Hay cosas que te anuncian que el verano está cerca. Del mismo modo, al ver las cosas que Jesús dijo que sucederían, sabes que el Armagedón está cerca (Lucas 21:29, 30).

En esta página y en la siguiente se representan algunas cosas que formarían parte de la señal de que el Reino de Dios estaría cerca. Cuando todas ellas ocurrieran, el Reino de Dios con Cristo

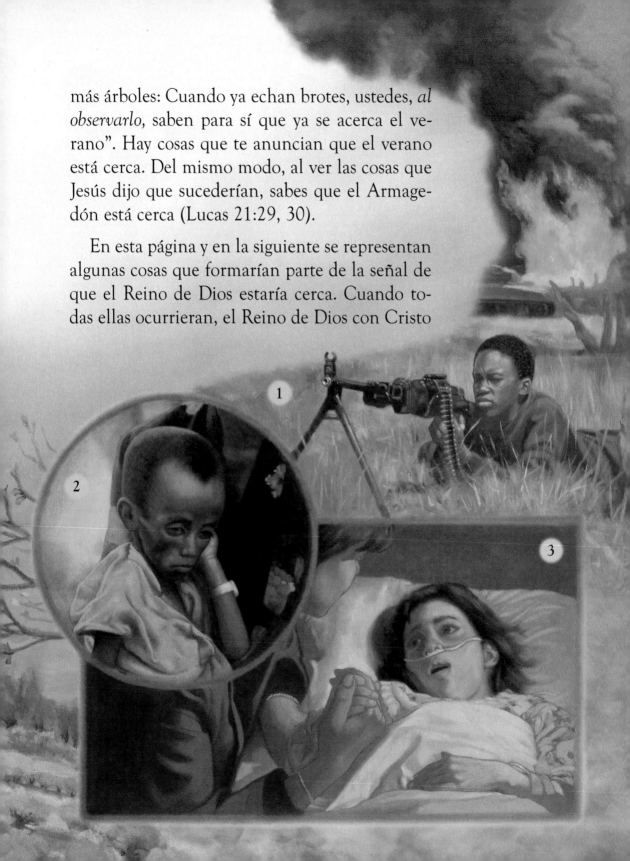

como Gobernante aplastaría a todos los demás gobiernos, como leímos en el capítulo 46.

Mira atentamente las láminas de las dos páginas anteriores, y luego las comentaremos. En Mateo 24:6-14 y Lucas 21:9-11 puedes leer lo que se representa en ellas. Fíjate también en el número que hay en cada una: es el mismo que aparece al principio del párrafo donde se explica ese dibujo. Ahora veamos si las muchas partes de la señal que Jesús dio se están cumpliendo hoy día.

1) Jesús dijo: *"Van a oír de guerras e informes de guerras; [...] se levantará nación contra nación y reino contra reino"*. ¿Has oído hablar de guerras en las noticias?... La primera guerra mundial se peleó entre 1914 y 1918, y luego vino la segunda guerra mundial, de 1939 a 1945. ¡Nunca hasta entonces había habido guerras mundiales! Y ahora hay guerras por todo el mundo. Todos los días se habla de ellas en la televisión, la radio o los periódicos.

2) Jesús añadió: *"Habrá escaseces de alimento [...] en un lugar tras otro"*. Quizás ya sepas que no todo el mundo tiene suficiente alimento para comer. Miles de personas mueren cada día por falta de comida.

3) Jesús dijo además: *'En un lugar tras otro habrá pestes'*. ¿Sabes qué son las pestes?... Son enfermedades graves que matan a mucha gente. Una gran peste llamada la gripe española mató a veinte millones de personas en un solo año. En nuestros días, probablemente morirá de sida una cantidad aún mayor. Y también están el cáncer, las enfermedades del corazón y otras enfermedades que todos los años causan miles y miles de muertes.

4) Jesús indicó otra parte de la señal con estas palabras: *"Habrá [...] terremotos en un lugar tras otro"*. ¿Sabes qué es un terremoto?... Es un temblor de tierra que en muchos casos hace que las casas se derrumben, matando a la gente que está dentro. Desde 1914, todos los años ha habido muchos terremotos. ¿Has oído hablar de ellos?...

5) Jesús dijo que otra parte de la señal sería que *'la maldad iría en aumento'*. Por eso hay tantos robos y tanta violencia. En todos los países, la gente tiene miedo de que alguien entre a robar en su casa. Nunca antes ha habido en el mundo entero tantos delitos y violencia.

6) Jesús señaló una parte muy importante de la señal cuando dijo: *"Estas buenas nuevas del reino se predicarán en toda la tierra habitada para testimonio a todas las naciones; y entonces vendrá el fin"* (Mateo 24:14). Si tú tienes fe en "estas buenas nuevas", deberías hablar de ellas a otras personas. De ese modo puedes participar en el cumplimiento de esta parte de la señal.

Hay quienes dicen que las cosas que Jesús predijo han sucedido siempre. Pero nunca antes han sucedido *todas ellas* al mismo tiempo y en tantas partes del mundo. Así que, ¿comprendes lo que significa la señal?... El hecho de que veamos ocurrir todas esas cosas significa que pronto se acabará este mundo malo y comenzará el nuevo mundo de Dios.

Cuando Jesús dio esta señal, también habló de una estación del año. Dijo: "Sigan orando que su huida no ocurra en tiempo de invierno" (Mateo 24:20). ¿Qué crees que significa eso?...

Bueno, si alguien tiene que escapar de algún desastre durante el invierno, cuando las condiciones del tiempo hacen que

viajar sea muy difícil o hasta peligroso, ¿qué podría pasarle?...
Le costaría mucho escapar, y quizás no lo conseguiría. ¿No sería
una lástima que la persona muriera en una tormenta de nieve
porque estaba tan ocupada con otras cosas que no pudo ponerse
en camino antes?...

¿Comprendes lo que Jesús quiso decir cuando habló de no esperar al invierno para huir?... Nos estaba diciendo que, en vista
de que el Armagedón está cerca, debemos darnos prisa para servir a Dios y así demostrar que lo amamos. Si nos retrasamos, tal
vez se nos haga demasiado tarde. En ese caso, seríamos
como las personas del tiempo del Diluvio, que oyeron
la advertencia de Noé, pero no entraron en el arca.

Ahora hablaremos de cómo será todo cuando
acabe la gran guerra de Armagedón. Aprenderemos lo que Dios tiene reservado para todos
los que lo amamos y servimos hoy día.

*Otros textos bíblicos que también muestran
que el Armagedón está cerca son 2 Timoteo
3:1-5 y 2 Pedro 3:3, 4.*

*¿Qué lección enseñó
Jesús cuando habló
de intentar huir
durante el invierno?*

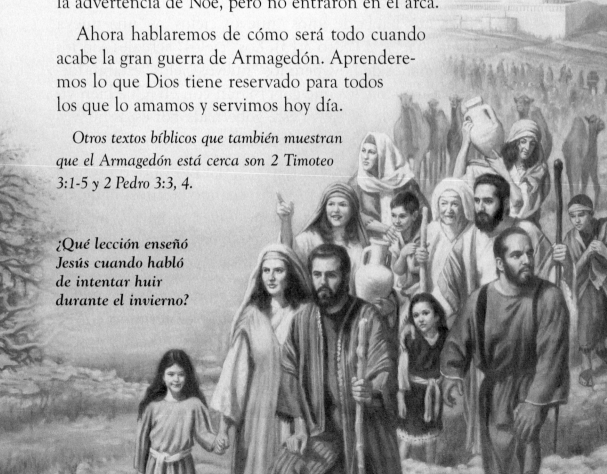

CAPÍTULO 48

TÚ PUEDES VIVIR EN EL PACÍFICO NUEVO MUNDO DE DIOS

DIOS puso a Adán y Eva en el jardín de Edén. Aunque los dos fueron desobedientes y murieron, Jehová ha hecho posible que los hijos de ellos podamos vivir para siempre en el Paraíso. La Biblia promete: "Los justos mismos poseerán la tierra, y residirán para siempre sobre ella" (Salmo 37:29).

La Biblia nos habla de unos "nuevos cielos" y "una nueva tierra" (Isaías 65:17; 2 Pedro 3:13). Los "cielos" actuales son los gobiernos humanos de hoy, pero los "nuevos cielos" estarán formados por Jesucristo y los que gobernarán con él. ¡Qué bien viviremos cuando toda la Tierra esté gobernada por estos nuevos cielos, el justo y pacífico Reino de Dios!

Entonces, ¿qué es la "nueva tierra"?... La nueva tierra será la gente buena que ame a Jehová. Verás, cuando la Biblia habla de "la tierra", a veces se refiere a quienes viven en ella, y no a la Tierra en sí (Génesis 11:1; Salmo 66:4; 96:1). Así, quienes compondrán la nueva tierra vivirán aquí mismo, en este planeta.

Para entonces, el mundo actual de personas malvadas se habrá acabado. Recuerda que el Diluvio de Noé terminó con el mundo de gente mala de aquel tiempo. Y, como hemos aprendido, el mundo malvado en que vivimos será destruido en el Armagedón. Veamos ahora cómo será la vida después del Armagedón, en el nuevo mundo de Dios.

Si lees Isaías 11:6-9 y 65:25, verás que los animales vivirán en paz. Mira esta lámina. Observa el cordero, el cabrito, el leopardo, el becerro, el gran león y los niños que están con ellos. La Biblia también habla de otros animales que puedes ver aquí. ¿Sabes cuáles son?... ¡Mira a ese niño jugando con la cobra! En el nuevo mundo no habrá razón para tener miedo (Oseas 2:18). ¿Qué te parece eso?...

Ahora observa la paz que hay entre personas tan diferentes. Todas se aman unas a otras, tal como dijo Jesús que sus discípulos harían (Juan 13:34, 35). Con las armas de guerra se fabrican herramientas para cultivar el terreno. La Biblia dice que en el nuevo mundo de Dios todos vivirán en paz y seguridad. ¿Verdad que será maravilloso? Se nos habla de estas cosas en textos como Salmo 72:7; Isaías 2:4; 32:16-18, y Ezequiel 34:25.

Fíjate en las personas que aparecen en esta página. Están cuidando la Tierra, transformándola en un lugar hermoso. Mira qué casa tan bonita están construyendo y qué frutas y verduras tan deliciosas. Las personas están en paz con la Tierra, de modo que todo el planeta se ha convertido en un paraíso como el jardín de Edén. Podemos leer estas promesas en Salmo 67:6; 72:16; Isaías 25:6; 65:21-24, y Ezequiel 36:35.

Como ves aquí, todos están sanos y felices. Pueden saltar como un ciervo. No hay nadie cojo, ciego o enfermo. ¡Y mira a los resucitados! La Biblia nos promete estas cosas en Isaías 25:8; 33:24; 35:5, 6; Hechos 24:15, y Revelación (Apocalipsis) 21:3, 4.

¿Quieres vivir para siempre en el Paraíso en el pacífico nuevo mundo de Dios?... Ningún médico puede conseguir que vivamos para siempre. Tampoco hay ninguna pastilla que nos libre de morir. La única forma de vivir para siempre es acercarnos a Dios. Y el Gran Maestro nos dice cómo hacerlo.

Abramos la Biblia en Juan, capítulo 17, versículo 3. Allí encontramos estas palabras del Gran Maestro: "Esto significa vida eterna, el que estén adquiriendo conocimiento de ti, el único Dios verdadero, y de aquel a quien tú enviaste, Jesucristo".

Según dijo Jesús, ¿qué tenemos que hacer para vivir para siempre?... Lo primero es adquirir conocimiento de nuestro Padre celestial, Jehová, y también de su Hijo, quien dio su vida por nosotros. Eso significa que debemos estudiar la Biblia. Este libro, APRENDAMOS DEL GRAN MAESTRO, nos ayuda a hacerlo.

¿Cómo nos ayudará el conocimiento de Jehová a vivir para siempre?... Pues bien, igual que todos los días necesitamos comer, también todos los días necesitamos aprender acerca de Jehová. La Biblia dice: "No de pan solamente debe vivir el hombre, sino de toda expresión que sale de la boca de Jehová" (Mateo 4:4).

También necesitamos adquirir conocimiento de Jesucristo, pues Dios envió a su Hijo para borrar nuestros pecados. La Biblia enseña que "no hay salvación en ningún otro", y también dice que "el que ejerce fe en el Hijo tiene vida eterna" (Hechos 4:12; Juan 3:36). Pero ¿qué significa 'ejercer fe' en Jesús?... Significa que creemos en él y reconocemos que sin él no podríamos vivir para siempre. ¿De verdad creemos eso?... Si así es, continuaremos aprendiendo sobre el Gran Maestro todos los días y haremos lo que él dice.

Una buena manera de aprender del Gran Maestro es leer este libro una y otra vez. Fíjate, además, en todas las láminas y piensa en lo que representan. Intenta responder las preguntas que las acompañan. También, lee el libro con tu mamá o tu papá. Si ninguno de los dos está contigo, léelo con otras personas mayores y con otros niños. Así tal vez ayudes a alguien a aprender del Gran Maestro lo que debe hacer para vivir eternamente en el nuevo mundo de Dios. ¿No sería eso estupendo?...

La Biblia dice que "el mundo va pasando", pero también enseña cómo vivir para siempre en el nuevo mundo de Dios. Explica que "el que hace la voluntad de Dios permanece para siempre" (1 Juan 2:17). Por tanto, ¿qué debemos hacer para vivir eternamente en el nuevo mundo de Dios?... Adquirir conocimiento de Jehová y de su amado Hijo, Jesús, y practicar lo que aprendemos. Esperamos que el estudio de este libro te ayude a conseguirlo.

¿Desea más información?
Escriba a la sucursal de los testigos de Jehová más cercana.

ALEMANIA: Am Steinfels, 65618 Selters. **ARGENTINA:** Casilla 83 (Suc. 27B), C1427WAB Cdad. Aut. de Buenos Aires. **AUSTRALIA:** PO Box 280, Ingleburn, NSW 1890. **BOLIVIA:** Casilla 6397, Santa Cruz. **BRASIL:** CP 92, Tatuí-SP, 18270-970. **CANADÁ:** PO Box 4100, Georgetown, ON L7G 4Y4. **CHILE:** Casilla 267, Puente Alto. **COLOMBIA:** Apartado 85058, Bogotá. **COSTA RICA:** Apartado 187-3006, 40104 Barreal de Heredia. **CUBA:** Ave. 15 No. 4608, Playa, Ciudad Habana. **DOMINICANA, REPÚBLICA:** Apartado 1742, Santo Domingo. **ECUADOR:** Casilla 09-01-1334, Guayaquil. **EL SALVADOR, C.A.:** Apartado 401, San Salvador. **ESPAÑA:** Apartado 132, 28850 Torrejón de Ardoz (Madrid). **ESTADOS UNIDOS:** 25 Columbia Heights, Brooklyn, NY 11201-2483. **FRANCIA:** BP 625, F-27406 Louviers cedex. **GRAN BRETAÑA:** The Ridgeway, Londres NW7 1RN. **GUATEMALA:** Apartado 711, 01901-Guatemala. **HONDURAS:** Apartado 147, 11102 Tegucigalpa. **ITALIA:** Via della Bufalotta 1281, I-00138 Roma RM. **JAPÓN:** 4-7-1 Nakashinden, Ebina City, Kanagawa-Pref, 243-0496. **MÉXICO (también Belice):** Apartado Postal 895, 06002 México, D.F. **NICARAGUA:** Apartado 3587, Managua. **PANAMÁ:** Apartado 0819 - 07567, Panamá. **PARAGUAY:** Casilla 482, 1209 Asunción. **PERÚ:** Apartado 18-1055, Lima 18. **PUERTO RICO:** PO Box 3980, Guaynabo, PR 00970. **SUIZA:** PO Box 225, 3602 Thun. **SURINAM:** PO Box 2914, Paramaribo. **URUGUAY:** Casilla 17030, César Mayo Gutiérrez 2645 y Cno. Varzi, 12500 Montevideo. **VENEZUELA:** Apartado 20.364, Caracas, DC 1020A.   www.watchtower.org